〈改訂版〉

日本語で
アカデミック・
ライティング

大学生のための
論文・レポートの
論理的な書き方

渡邊淳子 *Junko Watanabe*

研究社

〈改訂版〉

大学生のための　論文・レポートの論理的な書き方

PRINTED IN JAPAN

はじめに

「書くことが苦手だ」という学生は少なくありません。私が入学したての学生に毎年実施しているライティングに関するアンケートでも、「書くことが苦手」「どちらかというと苦手」とする回答が、6割以上を占めます。実際にレポートを書かせてみても、手元に集まるのはどこか情緒的で矛盾や飛躍に満ちた文章がほとんどです。このことは、「得意」「どちらかというと得意」と答えた学生の文章にも当てはまります。

悩ましいことに、大学での学修には常に書く作業がつきまといます。日常的にレポートの提出を求められ、学部によっては卒業論文を書くことが卒業の要件となります。大学院や博士課程をめざすなら論述試験があります。学位論文も書かなくてはなりません。就職活動時に作成するエントリーシートにしても、きちんと自分を伝えられる「書く力」が必要となります。企業などに就職すれば、あらゆる場面で物事や意思を正確に伝える文章力が求められます。このように考えると、いつまでも「書くのは苦手」と身を縮めているわけにはいきません。

白状しますと、私自身も書くことを大の苦手としてきた一人です。30代で大学の門をたたくまで、論理的な文章を書く機会はほとんどありませんでしたし、これからもないだろうと思っていました。むしろ、書くことを意識的に避けていたと言ってもいいでしょう。ですから、アンケートで「苦手」と答える学生には、ある種の共感を抱くのです。

大学入学以来、約20年にわたって学びの環境に身を置き、曲がりなりにもライティング指導に携わることができているのは、ある時期に突然書くことに目覚めたからというわけではありません。振り返ってみると、年齢的な遅れを取り戻そうと、一時期、手当たり次第に論文や学術書に触れたことが大きかったと思っています。わかりやすい論文の文章スタイルや構成をまねて書き続けることで、少しずつ文章の型を体得していったわけです。

いま、「型」と述べました。論理性が重視されるレポートや論文には、共通する基本の型があります。この型を身につければ、語彙が豊かでなくても言いたいことを十分に伝えられます。小説家ばりの名文も心を打つしゃれた言い回しもいりません。大切なのは、伝えるべきことをどのように伝えるかという戦略を立てることです。文章の型を知ることで、戦略を立てることができます。そうなると、書くことも思ったほどに苦しい作業ではなくなります。

大学の早い時期に論理的な文章の型や戦略の立て方を身につけ、書くことに対する苦手意識を少しでも軽くしてもらいたいとの願いから私は本書を書き進めました。もちろん、卒業論文を前にした人やこれから大学をめざそうという人にとっても役立つはずです。

第1章ではレポートや論文における文章の特徴や基本的な構造、第2章では文章を構成する一つ一つの文をいかにわかりやすくするかということを学びます。本書の中核となる第3～5章では、執筆に至るまでの作業手順や情報の整理法などを、実際の作業例を見せながら紹介します。第6章以降では執筆にあたっての注意点やルール、書き方のちょっとしたコツについて触れています。今回の改訂にあたっては、書くことと密接なつながりがある文章の要約のやり方（第８章）を加えました。

本書の執筆にあたっては、難しい文法用語を排し、表現に関する記述も必要最低限に抑えました。読む人がなるべくストレスを感じないで読み進められるようにと考えたからです。また、よく書けた文章の型をお手本にできるように、簡単な記述例や構成例をできる限り示しています。皆さんには本書を手元に置いて、まず2000字程度のレポートに挑んでいただけたらと思います。比較的短いレポートを完成させることで小さな達成感を味わい、次の課題執筆に思いをつないでもらえたら幸いです。

本書は、東京大学のトム・ガリー教授に背中を押していただいたことで実現したものです。私の哲学の恩師でもある岡部勉先生（熊本大学名誉教授）のご助言もいただきながら2015年に初版発行にこぎつけることができました。あれから７年、今回こうして改訂版発行にこぎつけることができたことは望外の喜びです。

本書を企画していただいた研究社の金子靖さん、青木奈都美さんには、初版時はもちろん、今回の改定にあたっても、遅々として進まない作業を辛抱強く見守っていただきました。すべての方々に深く感謝いたします。

2022年８月

渡邊淳子

目次

第1章

レポートを書こう

大学での学びの中で皆さんが一番戸惑うのは、高校時代と違って文章を書く機会が多いということではないでしょうか。特にレポート課題の多さには面食らうはずです。しかも、これまで親しんできた作文や感想文のような書き方では通用しないということが次第にわかってきます。それは、作文・感想文が「文学的文章」と言われる種類の文章であるのに対して、レポートやその延長にある論文は全く違ったタイプの文章だからです。これらの文章は「学術的文章」と総称されます。学術的文章では意見や情報を正確に伝えることが大切です。そこでものを言うのが「論理性」です。本章では、レポートの特徴を学び、「何をどう書くか」をイメージするための第一歩とします。

論証型レポート

ひとくちに「レポート」と言っても、大学ではさまざまな形式のものがあります。たとえば、学習の到達度を測るために講義で学んだことをまとめた文章は「学習レポート」あるいは「まとめレポート」と呼ばれます。また、読んだ書籍の内容を伝えるのは「読書レポート」、講義や研修などの内容報告や単なる感想文も「報告」として求められた場合は「レポート」と言うことができます。

最初にお断りしておきますと、本書で「レポート」と表記する場合は**「論証型」**と言われる形式のレポートを指します。これは研究や調査によって導き出した主張、意見、仮説を論理的に説明していくタイプのレポートです。したがって、単なる講義のまとめ、仕入れた情報の羅列、感想文とは一線を画します。論証型レポートでは、集めた情報（知識）を戦略的に組み立て、読み手をきちんと説得しなくてはなりません。

論証型レポートは**「文献研究型」**と**「実証研究型」**に大別することができます。文献研究型のレポートでは、先行文献や資料を調べることで得た知見を提示します。一方、実証研究型のレポートでは実験、観測、フィールドワークなどによって、仮説や理論を検証していきます。一般に文献研究型レポートは人文社会学系、実証研究型レポートは自然科学系の分野における形式と受け取られがちです。しかし、実際は人文社会学系の分野でもフィールドワークや実験を行なうことがありますし、自然科学系の分野においても先行研究にあたることは避けて通れません。２つの形式の違いは、純粋に研究手法の違いによるものなのです。

研究手法が違っていても、作成にあたっての基本的な考え方は同じです。それは、**伝えるべき事柄があり、それを理由と根拠の組み立てによって証明する**という「論証」の形をとるということです。論証作業では、調査・研究を通じて得た情報を自分なりに組み立てなくてはなりません。それは、じっくりと考える作業にほかなりません。ですから、論証型レポートに取り組むことは、考える力を育む作業にもなります。大学でレポートを書く機会が多いのも、実は考える力を育てるという大きな目的があるからなのです。

作文・感想文との違い

まず、「文章」と言ってもレポートと作文、感想文は全く違ったものであるということを頭に置いてください。まとまった文章作成の経験といえば、ほとんどの人は作文や感想文を思い浮かべるはずです。これらの文章は、「何をどう感じたか」といった書き手の感性がものを言う世界です。その意味では、小説や随筆といった文章に通じるところがあります。これらの文章をひとくくりに「文学的文章」と称するなら、理由と根拠でもって論理的に書き進めるレポートや論文といった学術分野における文章は「学術的文章」と呼ぶことができます。

学術的文章	文学的文章
レポート、論文、研究計画書など	作文、感想文、随筆、小説、詩など
客観性を重視	主観を尊重
読み手の解釈不可	読み手の解釈可
実用的	鑑賞的

表 1.1 学術的文章と文学的文章の違い

大ざっぱな言い方をすれば、皆さんが慣れ親しんできた作文や感想文は、主に書き手が何を体験し（読み）、どのように感じたかということを伝える文章です。遠足に行けばそこで起こった出来事に感想を交えて文章にし、本を読んで感動したり触発されたりした内容を記すことで、私たちは「書く力」を育んできました。しかし、どのように書いたとしても、作文や感想文では個人的な内容の記述となることがほとんどです。そこでは、書き手の主観が尊重されます。そして、読み手の琴線に触れるような文章が「良い文章」であり「名文」とされます。

文学的文章の最大の特徴は、作者が伝えたいことを読み手が解釈しなくてはならないということではないでしょうか。解釈する作業を「鑑賞」ということばに置き換えるとよくわかると思います。魅力的な文章の書き手は、巧みな文章構成や表現によって読み手を引きつけます。読み手は「名文」に接し、時には共感し、時には感動します。こうした共感や感動が解釈という作業によって導かれているのは言うまでもありません。とはいえ、私たちが誰でも夏目漱石や村上春樹になれるわけではありません。彼らのようになるには、努力はもちろんですが、ある種の才能も必要です。

一方、学術的文章に文才はいりません。読み手に解釈させるなど、とんでもないことです。それは、これらの文章には伝えるべき事柄を正確に伝えるという使命があるからです。読み手を説得するにしても、感情に訴えるのではなく、あくまで理由と根拠を積み重ねることによってなされなくてはなりません。理由と根拠も客観的なデータに基づいたものであることが求められます。また、文章自体が「名文」である必要はありません。学術的文章により「伝える」作業は、少しばかりの技術を身につければ誰にでもできることなのです。

ここで、実際に文章を比べてみましょう。以下に示すのは、同じテーマで書かれた作文とレポートの一部です。

【作文の文章】

先日、あるイベント会場で、熊本県のPRキャラクター「くまモン」を見る機会があった。彼との出会いは、私にとって初めてのことだった。いささかメタボ気味な体形に愛くるしい目、それに真っ赤なほっぺ……。ステージ上でのやんちゃぶりは想像以上で、私はひと目でとりこになった。おそらく、会場に詰めかけた子どもたちも同じ思いを抱いていたのではないだろうか。彼は短期間で莫大な経済効果をもたらしたという。会場の盛り上がりに、その人気ぶりの一端を垣間見る思いがした。

【レポートの文章】

熊本県のPRキャラクター「くまモン」のデザインを利用した商品の売り上げが、2014年は643億2200万円に達した。前年比43.1%増という伸びは、くまモン人気が依然として高いことを示している。日銀（2013）が算出した経済効果も、2年間で1244億円に上る。このような経済効果を生むきっかけとなったのは、同県がくまモンデザインの使用を無料にしたことである。くまモン人気の高まりとともに、デザイン使用を申請する企業の数も増加していった。

2つの文章を比べて言えるのは、作文の記述が主観的なのに対してレポートは客観的であろうとしているということです。作文では、「私」の目から見た情景や感想を伝えようとしています。「私」がくまモンと出会って、どのようなことを感じたかということが記述の中心です。一方、レポートの文章は淡々としていて、作文の文章に比べて情緒に欠けたものとなっています。書き手である「私」が何をしたかということより、くまモンをめぐる事実関係に重きが置かれています。

レポートでは、書き手である「私」が何をどう感じたかということより、出会った何かがどのようなものであるかということを、より正確に伝えなくてはなりません。したがって、行為の主体としての「私」という一人称を主語にすることは、めったにありません。私の行為や気持ちより、あくまで対象となる事物そのものが問題となるのです。

「論理的」であるということ

学術的文章では、論理的な記述が求められます。「論理的な文章」とは、誰もが納得できる筋道で書かれた文章ということです。つまり、レポートや論文とは、**たった1つの伝えたいこと**（これを**主張**と言います）を筋道立てて説明する文章なのです。

説得に際して大きな武器となるのは、そのように**主張する理由**と、**理由を支える根拠**です。と書くと、なにやら難しくなりそうですが、理由と根拠に基づいた説得や説明は、日常会話の中でもしばしば見受けられます。たとえば、以下の会話はどうでしょう。

〈会話1〉

A：先日、熊本から大阪まで新幹線で行ったんだけど、やっぱり大阪に行くなら新幹線に限るね。【主張】

B：へー、僕は飛行機しか使わないけど、どうしてだい。

A：だって、飛行機に比べて快適で便利だからさ。【理由】

Ｂ：そうかな、僕はそうは思わないけど。

Ａ：たとえば、車内がゆったりして自由に動き回れるよね。窓の景色も変化に富んでいるし。【根拠１】

Ｂ：でも、所要時間という点では飛行機に分があるよ。

Ａ：たしかに一理あるね。でも、市街地から空港までの移動時間や搭乗時の煩わしさを考えると、飛行機に分があるとは思えないね。新幹線は、今では面倒な乗り換えもしなくていいし、１日の本数が多いから乗車時間を簡単に変更できるよ。【根拠２】

Ｂ：そうか、それは考えなかったな。今度、新幹線も試してみようかな。

新幹線派のＡさんは、その理由を快適さと便利さの２点から説明しようとしています。説得の方針はうかがえますが、これだけではまだＢさんにも反論の余地が残されています。そこで、２つの理由をさらに詳しくした発言が根拠１と根拠２です。Ａさんは最初に大ざっぱな理由を述べた後、さらに掘り下げた説明を試みています。これによって、Ｂさんも新幹線の快適さ・便利さを認めないわけにはいかなくなりました。

では、新幹線派のＡさんが、単なる好みや気持ちだけで押し通したらどうなるでしょうか。

〈会話２〉

Ａ：先日、熊本から大阪まで新幹線で行ったんだけど、やっぱり大阪に行くなら新幹線に限るね。【主張】

Ｂ：へー、僕は飛行機しか使わないけど、どうしてだい。

Ａ：なぜって、僕は飛行機が嫌いなんだよ。人間があんな高いところを飛ぶなんて考えたら、落ち着いてなんていられないよ。よく君は平気だね。絶対に新幹線にするべきだと思うけどね。

Ｂ：ま、個人の好みの問題だから好きにしたらいい。僕は飛行機で行くけどね。

Ｂさんの最初の疑問に対するＡさんの答えは、きわめて個人的で感情的です。Aさんの好みをとやかく言うことはできませんから、Bさんとのやりとりは、どこまでも平行線をたどることが予想されます。話題を変えるしかないかもしれませんね。Bさんを新幹線派にするためには、新幹線を使うメリットをBさんが納得する形で示す必要があります。そのために使われる説得材料は、個人の好みではなく客観的な視点で集められたものが効果的であるということは、2種類の会話を比べてみるとわかるはずです。

会話1でのAさんの説得作業は、**主張→理由→根拠**という流れで無理なくつながっています。前後が矛盾することもありません。しかも、根拠1と根拠2で挙げた材料は、誰もが調べることができるたぐいのものです。誰もが調べられる、ということは、物事の判断を客観的な視点に委ねられるということを意味します。実は、私たちが**「論理的」と言う場合、客観的な材料を使って、理由と根拠を無理なくつなげた形を想定している**のです。

根拠とは信頼性の高い証拠

理由と根拠のうち、根拠についてもう少し説明します。

根拠とは「証拠」であると言ったら理解が早いでしょう。誰かを説得する場合、必ず相手から返ってくるのは「証拠を見せろ」ということばではないでしょうか。その際に、会話2のように客観性に欠ける印象や個人的な思い込みを挙げても意味はないはずです。その代わり、**具体的なデータや信頼性の高い証言**などを持ってこようとするのではないでしょうか。

会話1でAさんは快適さと便利さという2つの理由を挙げました。それによって、Aさんがどのような視点で説得を試みようとしているのかということはわかりますが、まだ曖昧さが残ります。そこで、続けて提出したのが根拠1であり根拠2です。

このように考えると、会話1は①**まず何を言いたいのかということを提示する（主張の提示）**、②**説得の方向性を示す（理由の提示）**、③**具体的な証拠を挙げる（根拠の提示）**、という3段階の組み立てがなされています。この3段階の説得作業をイメージ化したのが図1.1です。

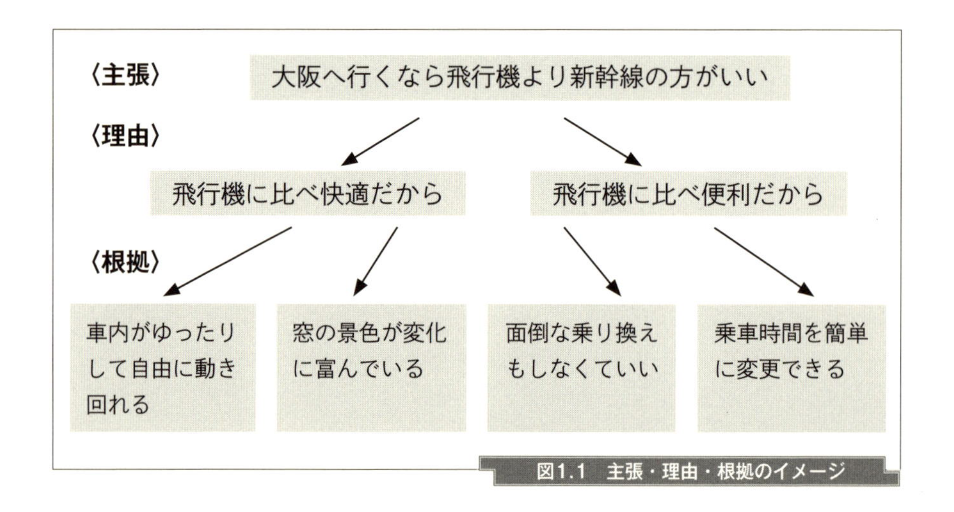

図1.1　主張・理由・根拠のイメージ

レポートの基本構造

主張→理由→根拠という流れは、レポートの基本的な構造でもあります。レポートに代表される学術的文章では、言いたいこと、つまり主張を最初の段階で提示し、順を追って説明を試みていきます。そこで、本節では主張→理由→根拠の流れを踏まえた上で、レポートを構成するパーツについて説明します。

レポートはタイトル、本体、引用参考文献リストの3つの部分に分けることができます。書き手の所属や氏名も明記しなくてはなりません(⇒図1.2)。

【タイトル】

タイトルは、読み手の興味を引きつける最初の関門です。書き手が「私はこれから○○ということを述べる」という意思を表明するところでもあります。時には、タイトルが主張そのものを言い表すことがありますし、問題を提起する形をとることもあります。読み手を「読んでみよう」という気持ちにさせるかどうかは、タイトルのよしあしにかかっていると言ってもいいでしょう。

〈1 ページ目〉

「しんぶんカフェ」で広がる可能性

文学部コミュニケーション情報学科 1 年
書野　好子

1. はじめに

本学では、新聞を手にして学生同士が自由に語り合う「しんぶんカフェ」が定期的に開催されている。この 3 年間、途切れることなく続いているが、学生の間に浸透しているとは言い難い。この有益な取り組みをさらに魅力あるものとし、学生の参加を促すためには、なんらかのてこ入れが必要だ。そこで、カフェの門戸を社会人にも広げ、開催場所も図書館のラーニング・コモンズエリアを使ってみてはどうだろうか。

2. 「しんぶんカフェ」の現状

毎週月曜日の朝に開かれる本学「しんぶんカフェ」

〈最終ページ〉

関心を呼び覚まし、参加の輪が広がることも期待できる。

4. おわりに

開設から 4 年目を迎えた本学「しんぶんカフェ」の参加者からは、「専門の違ういろんな大学の人の考えが聞けるのが魅力である」という声が上がっている。取り組み自体も周辺大学にも広がりつつある。このように、企画自体は好意的に受け取られているが、現状に満足すべきではない。ここにきて、社会人を参加者に加えることは、ともすれば興味が偏りがちな学生の思考の方向を広く社会に向けることができる。より広い視野を持ち、深く考えることができてこそ、毎朝手にする新聞から学ぶことができるのではないだろうか。

引用参考文献

見尾久美恵(2013).「医療系短期大学生の新聞閲読アンケートに見る大学生の情報収集の動向」.『川崎医療短期大学紀要』. 33, pp. 1–7.
齋藤孝（2010).『新聞で学力を伸ばす—切り取る、書く、話す』. 朝日新聞出版，朝日新書.

タイトル
所属・筆者名
序論部分の小タイトル（「はじめに」「序論」などの表記がある）
本論部分の小タイトル
結論部分の小タイトル（「おわりに」「結論」など）
引用参考文献リスト

図1.2　レポートの基本構造

読み手を引きつけるためには、漠然としたタイトルは避けます。「○○について」とか「○○の研究」といったたぐいのタイトルは、漠然としていて内容が絞り込まれていない印象を与えます。「いったい○○の何について書かれたものなのだろうか」と、最初から読み手に心理的な負担をかけてしまいかねません。こうした場合、図1.3のように**内容に応じてより具体的なタイトルを考える**べきでしょう。

× 依存症の研究
× 依存症について
↓
○「依存症」と「嗜癖」概念の違い
○ 治療途上に同時発現する複数依存症の症例

図1.3 タイトルの考え方

タイトルを考えるという作業は、書き手の頭を整理する作業でもあります。逆に言うと、焦点が絞り切れていないタイトルは、書き手の頭が整理されていないことの現れでもあるわけです。

なお、論文や比較的長いレポートで章や節を設ける場合、章や節ごとに小タイトルをつけることもあります。

【本体】

本体はレポートの中で最も重要な部分です。私たちが文章と言う場合、この部分を指します。本体は**序論、本論、結論**に分かれます。これは、論文も同様です。

序論は、レポート全体の道しるべです。**これから何についてどのような主張をするのか、あるいはどのような説得の手法をとるのかということを簡潔に記した部分**です。書き手の問題意識が凝縮された部分でもあります。序論部分で書き手の手の内をすべて見せておくことで、読み手は文章全体の展開を予想することができます。あらかじめ文章の流れがイメージできるような情報を与えておくと、読み手はストレスを感じることなく文章を読み進めることができます。このため、理解の速度もはやまります。

本論は、序論で提示された主張を理由と根拠でもって詳しく説明する部分です。本体の中で最も字数を要するとともに、ていねいな論理展開が求められます。いわば、レポートの中心部分と言ってもいいでしょう。しっかりとした本論の組み立てがレポートに説得力を与えます。

結論ではこれまで繰り広げてきた文章の内容を簡単にまとめ、主張を再確認します。読み手に主張の正当性を再度印象づける場所でもあります。また、採用した研究・調査手法の限界や今後の展望なども書き込むことができます。結論でこれまでの文章の流れを俯瞰（ふかん）すると、論証に無理がなかったか、必要な説明が抜け落ちていないかということも確認できます。

本体の分量を10とした場合、序論：本論：結論の目安は1～1.5：7～8：1～1.5といったところでしょうか。それぞれの展開の仕方はあらためて各章で詳細に説明していくことになりますので、ここではレポートの形がイメージできるといった程度の説明にとどめておきます。

【引用参考文献】

レポートに限らず、学術的文章を書く場合、先行研究を無視するわけにはいきません。それは、すべての学術分野が先人の研究の蓄積の上に成り立っているからです。第7章で詳しく触れることになりますが、文章を書く上では「引用」という形で現れてきます。引用したり、参考にしたりした文献のリストをまとめて明示することは、レポートや論文においては最低限のマナーです。

2000字レポートを書いてみよう

本章では、レポートや論文に代表される学術的文章とはどのような文章であり、その基本構造はどうなっているかということを中心に話を進めてきました。レポートの形のおおまかなイメージを抱くことはできたと思います。基本的にレポートが作文や感想文と違っているのは、言いたいことを先に書き、後の文章で論証していくという点でした。論証は理由と根拠をていねいに並べることで行なっていきます。

本書が目標とするのは、まず初心者である皆さんに2000字程度のレポートを完成させてもらうことです。400字詰め原稿用紙にして5枚程度です。皆さんが小・中・高校で経験してきた作文や読書感想文の多くも、この程度の字数だったのではないでしょうか。2000字が多いか少ないかという判断は、人によってまちまちでしょうが、慣れ親しんできた字数という意味では、心理的なハードルは低くなるはずです。

皆さんの中には、「大学生にしては物足りない」と思う人がいるかもしれません。しかし、2000字という字数制限の中で、分量に応じて書くことができるテーマを絞り込み、情報を厳選していく感覚を身につけることができれば、長いレポートや論文に挑むことだって十分に可能です。

また、複数の章や節で成り立つ長い論文などは、全体はもちろん、それぞれの章や節も序論・本論・結論の構造をとることが少なくありません。したがって、まずは短いスタイルの文章を書くことで、レポートの基本構造を身につけてください。

第2章

「わかりやすい文」を書く

文章は複数の文が集まることで成り立っています。読み手にとって「わかりやすい」文章を書くためには、文もわかりやすいものでなくてはなりません。わかりやすい文は、回りくどくなく、構造がシンプルで、曖昧さがありません。簡潔かつ明解な文を書くことができるようになると、頭の中も整理されます。第２章では、文をつくる上で書き手が陥りやすいと思われる落とし穴に触れながら、「わかりやすい文」を書くためのポイントを学んでいきます。

「わかりやすい文」とは

人に読んでもらう以上、レポートは読み手にとって「読みやすい」文章であるべきです。ところが、実際に書いてみると、知らず知らずのうちに読み手ではなく書き手にとって「読みやすい」文章になりがちです。たとえば、説明が不足していたり論理に飛躍があったり、といった「わかっているのは自分だけ」型の文章です。たくさんの伝えたいことがあったとしても、これでは読み手にはうまく伝わりません。

このことは、文章を構成する一つ一つの文においても言えます。読んでいて「わかりやすいな」と感じる文章では、文もわかりやすいことに気がつきます。これらの文には、回りくどくない、構造がシンプル、曖昧さがないといった共通点が見られます。

こうした「わかりやすい文」を書くためには、以下の点に気をつけます。

わかりやすい文を書くためのポイント

① 「一文一義」で書く（1つの文には1つの情報だけ入れる）。
② 主語と述語の関係を明確にする。
③ 曖昧な言葉遣いを避ける。

これらのポイントを押さえながら「わかりやすい文」を考えていくと、頭の中にあるさまざまな情報を整理することができます。そして、情報の整理は文章の構成にも深くかかわってくることになります。

「一文一義」で書く

仕事柄、毎日さまざまな文章に目を通します。「読む」ことはけっして苦しい作業ではありません。むしろ、好きと言ってもいいでしょう。ところが、そんな作業の中で、一瞬、思考が停止し苦痛に感じることがあります。それは、一度読んだだけでは内容がつかめない文に出合ったときです。

■ 情報ごとに文を分割する

内容がつかみにくい文には、たいていなんらかの欠陥があります。中でも多いのが、必要以上に情報が詰め込まれ、だらだらと長くなっている文です。**「だらだら文」**に出合うと、読むリズムが崩されます。当然、理解のスピードも落ちてきます。こうした文があまりにも多いと、文章を読み進めようという意欲もなえてきます。読んでもらう文章としては失格、と言えるでしょう。たとえば、以下のような文です。

> ✕ 私は就職を意識し始めた大学2年の秋ごろ、一度新聞をとったことがあるが、前の年に大手の会社に就職して入学のころからかわいがってくれた先輩が「新聞は就職に大変役立った」というアドバイスと「コラムが面白かった」というアドバイスがあったB紙をとったのだが、2ヶ月で読まなくなり、自分の根気のなさに嫌気がさしたという事実がある。

たった１つの文なのに、まるでとりとめのない会話を聞かされているようです。おそらく、書いた学生は頭に浮かんださまざまな事柄を一気に文に落とし込んだのではないでしょうか。詰め込まれた情報の量は豊富なのですが、何が大切なことなのか、かえってわかりにくくなっています。

この文に詰め込まれた情報は、少なくとも以下の７つに整理することができます。

・就職を意識し始めた大学２年の秋ごろ、一度新聞をとったことがある。
・前の年に大手の会社に就職した先輩から「新聞は就職に大変役立った」というアドバイスを受けた。
・その先輩は私を入学したころからかわいがってくれた。
・Ｂ紙をとり始めた。
・「コラムが面白かった」という先輩のアドバイスがあったからだ。
・２ヶ月で読まなくなった。
・自分の根気のなさに嫌気がさした。

このように整理してみると、問題の文にどれだけ大量の情報が詰め込まれているかということがわかります。次々と頭に浮かんだアイデアを整理しないまま文章にしていくと、どうしても書く作業が追いつかなくなることがあります。アイデアが消えてしまわないうちに形にしようと焦るあまり、つい一つ一つの文も長くなりがちです。読み手にたくさんの情報を伝えたいという気持ちとは裏腹に、完成した文がかえって理解を妨げるものとなってしまうというのは、なんとも皮肉な話です。

頭の中にあるたくさんの情報を整理するためには、情報ごとに文を考えましょう。つまり、**1つの文には1つの情報しか入れないという書き方**です。学生には**「一文一義」**ということばで教えています。

一文一義のルールで書いた文はとても単純で明快です。情報が整理され、何を伝えたいのかという書き手の意図によって取捨選択、あるいは並べ替えを簡単にすることができます。また、適切な接続表現を使うと、文と文を無理なくつなぐこともできます。さらに、一つ一つの文が簡潔になり、読み手の側もリズム感を持って読み進めることができます。

一文一義のルールに従うと、問題の文は以下のように書き換えることができます。

○ 就職を意識し始めた大学2年の秋ごろ、しばらく新聞をとったことがある。それは、前の年に大手の会社に就職した先輩から「就職に大変役立った」というアドバイスを受けたからだ。先輩からは「コラムが面白かった」とB紙を勧められた。そこで、B紙をとることにした。しかし、2ヶ月で読まなくなった。自分の根気のなさに嫌気がさしている。

最初の例の字数は159字に上ります。これを情報ごとに6つの文に整理したところ、1文の長さは最大でも49字にしかなりません。6つの文を合わせた総量は、句読点を入れて158字です。ほぼ同じ字数でも、一文一義で書いた複数の文の集まりの方が、情報過多な1文よりはるかにわかりやすくなります。さらに、適切な接続表現で文と文をつなぐことで、文章に自然な流れができます。

学生に文章を書かせるとき、1文の長さは最大60字を目安にするように指導しています。「60字」という字数制限にそれほどの根拠はありません。ほかのライティングに関する書籍を見ても、40字としたり80字であったりとまちまちです。ただ、字数の目安を持つことにより、文の内容や文同士の関係など、注意がおろそかになりがちな事柄に目が向きやすくなるという利点があります。ですから、最初のうちは自分なりの字数の目安を持って文を書く工夫をしてください。

■ つなぎ方に注意する

文が長くなってくると、情報が錯綜しやすくなるということは、これまで見てきた通りです。ところが、日本語の文は伸ばそうと思えばどこまでも伸ばすことができるという特徴を持っています。

こうした日本語の特徴を助けているのが、「が」「て（で）」といった接続助詞や、「～あり」「～し」など連用形で文を続けていく方法です。これらが“接着剤”となって、文はどこまでも伸びていきます。

> ✕ 自己効力感とは、ある状況において必要な行動を自分が効果的に遂行できるという個人の確信を表すものであり、社会的学習理論や社会的認知理論の視点から用いられ、広くは心理学の分野において自尊心、あるいは自己評価の水準として研究されてきたものの一形態と考えられるが、その度合いが高まれば高まるほど積極的に活動し、他者への働きかけも活発になる。

1文が163字に上るこの例文では、下線で示した「あり」「られ」「が」「し」といった接続助詞や連用形によって、文がだらだらと続いています。これらは、文をつなぐという意味では便利な道具です。しかし、できあがった文は情報過多で論理的にも不自然なものとなりがちです。

文をつくる場合、その文で何を伝えるのかということに気を配らなくてはなりません。そのための一文一義でもあるわけです。この文も一文一義のルールにのっとって、情報を整理しなくてはならないことは言うまでもありません。その際、接続助詞や連用形によってつなぐ手法を多用することは避けましょう。学生には、**1つの文に2つ以上の接続助詞や連用形によるつなぎが**

登場した場合は、注意するように指導をしています。以下に示すのは、書き換え例です。

◯ 自己効力感とは、ある状況において必要な行動を自分が効果的に遂行できるという個人の確信を示すものである。自己効力感の度合いが高まれば高まるほど、人は積極的に活動し、他者に対しても活発な働きかけを見せる。

自己効力感の概念は、社会学習理論や社会的認知理論の視点から用いられる。また、心理学の分野においては、自尊心あるいは自己評価の水準として研究されてきたものの一形態とも考えられている。

情報を整理することにより、文の並びも変わってきます。この書き換え例のように、トピックに応じて2つのパラグラフに分割することも可能です。

主語と述語の関係を明確にする

1つの文が長くなると、情報過多という問題以外に、文法的にもおかしなことが起きてきます。その最たるものが、主語と述語の不自然な関係でしょう。前節で紹介した情報過多な例文を一層読みにくくしているのも、文の一部に不自然な主述の関係が見られるからです。

述語の受けが不自然であったり、文の途中で主語がすり替わったりした文を**「ねじれ文」**と言います。以下のような文です。

✕ 私の夢は宇宙飛行士になって宇宙に行く。

この文のおかしな点は、「私の夢は」という主語に対する述語「行く」の不自然さです。「行く」のは「私」であって、決して「私の夢」ではないはずです。この場合、次のように書くべきでしょう。

◯ 私の夢は宇宙飛行士になって宇宙に行くことである。

皆さんの中には、「こんな間違いなんかしないよ」という人がいるかもしれません。たしかに、このような短い文だと、主語と述語のねじれ関係は、ちょっとした注意を払えば避けられるものです。ところが、主語と述語が離れすぎていたり、1つの文の中に主語と述語の関係が複数あったりした場合、文章を書き慣れている人でもうっかりねじれ文を書いてしまうことがあります。たとえば、以下のような文はどうでしょう。

✕ 今回の地震で想定外だったのは、液状化したと見られる地盤が湾外部の埋立地だけではなく、内陸部の川沿いや造成地でも広い範囲で発生するなど、これまで予測されていた範囲を大きく超えていた。

なんとなく読めそうな文ですが、明らかに受け方が不自然な述語が2ヶ所見られます。下線で示した「発生する」と「超えていた」です。この文の〈主語⇒述語〉の関係を整理すると、

・地盤が⇒発生する
・想定外だったのは⇒超えていた

となります。しかし、地盤は「発生する」ものではありません。文脈から読み取るとするなら、「発生する」のは液状化という現象でなければ無理があります。一方、「想定外だったのは」と「超えていた」という主述関係は、先に示した宇宙飛行士の例文と同じ理由により適切ではありません。

この文は、主語と述語の受け方を変えるだけで整えることができます。

◯ 今回の地震で想定外だったのは、地盤の液状化が湾外部の埋立地だけではなく、内陸部の川沿いや造成地でも発生するなど、これまで予測されていた範囲を大きく超えていたことである。

また、一文一義のルールに従って書き換えると、以下のように直すこともできます。

◯ 今回の地震で想定外だったのは、液状化がこれまで予測されていた範囲を大きく超えて発生したことである。液状化が発生した範囲は、湾

外部の埋立地だけではなく、内陸部の川沿いや造成地にも及んだ。

多くの場合、ねじれ文は意味が通っているような感じがしますので、注意しないと見逃してしまいがちです。しかし、結果として文章に論理的なおかしさを残すことにもなりかねません。文章の論理性を保つためにも主語と述語の関係を確認し、一文一義のルールを徹底する習慣を身につけることが大切です。

曖昧な言葉遣いを避ける

レポートや論文では、曖昧さを極力排した具体的な記述が求められます。つまり、誰が読んでも同じ意味に受け取ることができる書き方をしなくてはならないということです。その際、以下の点に気をつけます。

曖昧な言葉遣いを避けるためのコツ

- 接続助詞「が」を安易に使わない。
- 修飾語と被修飾語は近くに置く。
- 読点で意味を区切る。
- 指示語が指す対象を意識する。
- 数値や具体例を挙げる。
- 具体的な言葉を補う。

接続助詞「が」を安易に使わない

接続助詞の中で特に注意を払ってほしいのは、「が」の扱いです。接続助詞「が」には、**前の節を打ち消す「逆接」**と、**さまざまな情報を補充する「情報補充」**の役割があります。実は、この情報補充の用法が、とてもやっかいな事態を招くのです。

ⓐ 逆接の「が」

○ 戦国大名には自分一人であらゆる才能を発揮するタイプが少なくない

が、徳川家康はこの種の大名ではなかった。

ⓑ 情報補充の「が」（1）

○ 徳川幕府は世襲により250年の安泰を保つことになるが、その秘訣は家康の質実剛健の精神を受け継いだことにある。

ⓒ 情報補充の「が」（2）

× 徳川幕府は世襲により250年の歴史を保つことになるが、8代将軍吉宗は庶民の意見を広く吸い上げるために目安箱を設けた。

逆接の場合、ⓐのように節同士の関係ははっきりしています。ところが、情報補充の場合は事情が違ってきます。ⓑはまだ意味が通じますが、ⓒはどうでしょう。前の節で世襲の話をしているのに、後の節ではそれとは何の関係もなさそうな「目安箱」の話になっています。別々の情報が何の脈絡もなくつながっている印象を受けます。このように、情報補充の「が」は、論理的におかしな情報まで簡単にくっつけてしまう性質があるのです。

結論から言えば、**接続助詞の「が」の使用は極力避け、節ごとに分割する**ことをお勧めします。たとえば、例文ⓐの場合は、「しかし」「だが」「とはいえ」といった逆接の接続詞を使うことができます。また、情報補充の場合は、単純に分割するだけで事足りることもあります。また、必要に応じて前後の関係を表す接続表現を使うことで、文と文の関係を明確にすることもできます。

ⓐ、ⓑの例文は以下のように書き換えることができます。

ⓐ 逆接の「が」

戦国大名には自分一人であらゆる才能を発揮するタイプが少なくないが、徳川家康はこの種の大名ではなかった。

↓

戦国大名には、自分一人であらゆる才能を発揮するタイプが少なくない。しかし、徳川家康はこの種の大名ではなかった。

ⓑ 情報補充の「が」（1）

徳川幕府は世襲により250年の安泰を保つことになるが、その秘訣は家康の質実剛健の精神を受け継いだことにある。

↓

徳川幕府は世襲により250年の安泰を保つことになる。その秘訣は家康の質実剛健の精神を受け継いだことにある。

修飾語と被修飾語は近くに置く

日本語は英語や中国語などに比べ、語順の規則が緩い言語だと言われます。述語が末尾にくる以外、語の順番を入れ替えてもたいてい意味が伝わります。

・彼は急いで本を読んだ。
・彼は本を急いで読んだ。
・急いで彼は本を読んだ。
・本を急いで彼は読んだ。

上記４つの単文も、「読んだ」という述語を除くと、主語を含めすべての語の順番を入れ替えた文ですが、意味するところは同じです。

ところが、複数の主語と述語があるような込み入った文になると、少しばかり事情が違ってきます。

✕ 田中さんは急いで私が読み終えた本を取り上げた。

この文では、「急いで」いたのが田中さんの本を取り上げる行為とも取れますし、私が本を読み終える行為とも取れます。「急いで」が何を修飾しているのかわからないためです。結果として、正確さが損なわれています。

正確に伝える文に書き換える一つの方法としては、語順を入れ替えるやり方があります。その場合、次のルールに従います。

語順のルール

① 修飾語と被修飾語はなるべく近づける。
② 長い修飾語から先に書く。
③ 修飾節がある場合は修飾節を先に置く。

これら３つのルールに基づいて書き換えたのが、ⓐ、ⓑの例文です。

ⓐ「急いで」いたのが田中さんの場合

○ 私が読み終えた本を田中さんは急いで取り上げた。

ⓑ「急いで」いたのが私の場合

○ 私が急いで読み終えた本を田中さんは取り上げた。

ⓐは、田中さんの行為である「取り上げた」の直前に「急いで」を置くことによって、「急いで」いたのが田中さんであることが明らかになります。一方、ⓑは、修飾節の中で「急いで」が「読み終えた」の直前に来ています。これにより、「急いで」いたのは私であることがわかります。

読点で意味を区切る

修飾語と被修飾語の位置関係に気を配る方法以外に、読点（、）を使っても同様の効果を得ることができます。

× 田中さんは急いで私が読み終えた本を取り上げた。

↓

ⓒ「急いで」いたのが田中さんの場合

○ 田中さんは急いで、私が読み終えた本を取り上げた。

ⓓ「急いで」いたのが私の場合

○ 田中さんは、急いで私が読み終えた本を取り上げた。

ⓒ、ⓓでは修飾語の順番ルールが崩れています。しかし、読点を打つことで修飾・被修飾の関係を明らかにすることができます。つまり、読点を打つ場所によって文の意味も変わるということです。

読点には、意味の区切れを明確にして文を読みやすくするという役割があります。ただ、打ち方に絶対といったルールがないため、細かいところでは人によってまちまちな部分があります。それでも、ある程度共通に言われている基準はありますので、表 2.1 に主なものを使用例とともに紹介します。

読点を打つ基準	使用例
① 誤読の恐れがある場合	田中さんは急いで、私が読み終えた本を取り上げた。
② 述語と離れた主語の後	想定外だったのは、沿岸部だけと思われていた液状化が内陸部でも発生したことである。
③ 長い主語の後	3年かけて現地ロケを続けてきた記録映画が、ようやく完成した。
④ 対等な語句を並べる場合	内臓器官には、心臓、肝臓、肺、胃、腸などがある。
⑤ 重文の中での節の区切れ	文章は短いが、書き手の誠実さがあふれている。
⑥ 理由、条件（場所や時間など）を表す語句の後	昨夜からの豪雨の影響で、始発列車から運休が続いている。
	相手チームの人数不足のため、試合は不戦勝だった。
⑦ 文頭にきた接続表現の後	しかし、景気の回復にはつながらなかった。
	なぜなら、「書く」ことで思考力が鍛えられるからである。

表2.1　読点を打つ基準

表2.1の7つの基準は、あくまで目安と考えてください。文の条件によっては、絶対に従わなければならないというものでもありません。たとえば、「②述語と離れた主語の後」で紹介した

○ 想定外だったのは、沿岸部だけと思われていた液状化が内陸部でも発生したことである。

という例文も「③ 長い主語の後」という基準に照らし合わせると、下線部の主語となる「沿岸部だけと思われていた液状化が」の後にも読点を打たなくてはならないはずです。もちろん、読点を打っても誤りではありませんし、文意も伝わります。それでも打たなかったのは、この例文全体の柱となる「想定外だったのは」という主語を際立たせることで、事足りると考えたからで

す。また、文そのものが一文一義ルールにそったわかりやすい構造をしているために、これ以上読点を打つとかえってくどくなると考えました。

このように見ていくと、読点を打つか打たないかということは、個人の考え方にも左右されています。ただ、ここで忘れてならないのは、読点は意味のかたまりをつくり、それらの論理的関係を明確にするものであるということです。読点を打つか打たないかということは、それによって明確に伝えるべき事柄を伝えることができているか、という思案の中で判断すべきでしょう。

■ 指示語が指す対象を意識する

文章の中で同じことばや文脈の繰り返しを避けるために、「これ」「あれ」「それ」といった指示語がよく使われます。指示語は、原則として直前の文に出てきた語や事柄を受けます。長い語句や事柄を短く言い表すことができる便利なツールですが、以下の文章のように安易に使い過ぎると意味が通りにくくなります。

☒ 陸上競技場がメインスタジアムと呼ばれるのは、それ①がすべての競技の中で第1位にあるからである。オリンピックにおいても、それ②は1896年の第1回アテネ大会から途切れることなく実施され、毎回のオリンピックでは水泳と並ぶ花形競技の地位を占めている。世界記録が更新されると、世界の耳目を集める。

しかし、これ③が競技の人気に直結しているかというと疑問である。たしかにオリンピックや世界選手権といったビッグゲームに対する関心は高い。ただ、それ④も短期間のことである。プロチームが長期間のリーグを戦うサッカーなどのチーム競技に比べると、それ⑤は見劣りがすると言わざるを得ない。

この文章には、番号を付けた5つの指示語が登場します。このうち、①の「それ」は「陸上競技場」の置き換えであり、「陸上競技」を主語とすべき文としては明らかに間違いです。②の「それ」も主語の取り違えをそのまま引きずっています。

①、②を除く残り3つの指示語の中で、最もわかりにくいのは③の「これ」です。いったい何を指しているのでしょうか。前のパラグラフには、以下の情報が盛り込まれています。

・陸上競技がすべての競技の中で第1位にある。
・オリンピックの花形競技である。
・世界記録が更新されると世界の耳目を集める。

なんとなく読み流すとわかったような気持ちになりますが、落ち着いて読むと不自然さに気が付くはずです。

また、第2パラグラフでは、構成する4つの文のうち3つで指示語を使っています。③の「これ」を除くと、④も⑤も「関心度」あるいは「関心の高さ」を指していることがわかりますが、煩雑な印象は否めません。しかも、⑤にいたっては、なくても十分に意味は通じます。

「この」「その」といった表現を必要以上に使うケースは、学生のレポートでも頻繁に見ることができます。**指示語を使うときは、それが何を指しているのかということを見極め、必要であるかそうでないかということも検討しましょう。**

指示語に注意しながら例文を書き換えたのが以下の文章です。もちろん、一文一義を守りました。

○ 陸上競技場がメインスタジアムと呼ばれるのは、陸上競技がすべての競技の中で第1位にあるからである。オリンピックにおいても、陸上競技は1896年の第1回アテネ大会から途切れることなく実施され、毎回、水泳と並ぶ花形競技の地位を占めている。世界記録が更新されると、世界の耳目を集める。

しかし、オリンピックで花形の地位にあることが、競技の人気に直結しているかというと疑問である。たしかにオリンピックや世界選手権といったビッグゲームに対する関心度は高い。ただ、関心が高いのも短期間のことである。プロチームが長期間のリーグを戦うサッカーなどのチーム競技に比べると、見劣りがすると言わざるを得ない。

■ 数値や具体例を挙げる

修飾語を使う場合、特に曖昧な表現が多い副詞や形容詞の使い方に注意します。情報を正確に伝えるためには、曖昧な語句の使用を避け、できるだけ具体的な記述を心がけましょう。不必要な修飾語や正確さを欠いた語の安易な使用は、わかりやすい文を書く妨げになります。

✕ 彼はとても精力的に動き回り、大変すばらしいレポートを仕上げた。

この例文の中で、「とても精力的に」や「大変すばらしい」という表現には具体性がないばかりか、書き手の主観さえも加わっています。この例文から事実だけを抽出すると、「彼はレポートを仕上げた」となります。たったこれだけのことです。文脈によっては、あえて記述する必要があるのか、ということにもなってきます。「彼はレポートを仕上げた」という事実に意味を持たせるなら、たとえば以下の文のように「とても精力的に」や「大変すばらしい」の部分をていねいに説明する必要があります。

○ 彼は花崗岩に関する3000点におよぶ過去50年間の研究資料を精査し、独自の生成理論へとつながるレポートを仕上げた。

この具体化の例では、数値を提示することで内容を説明しています。これにより、**書き手が伝えたいイメージと読み手が受け取るイメージが一致**するわけです。

文章の曖昧さを排除するためには、このほかに具体例を織り込む方法もあります。それが以下に示す2つの例文の比較です。「一定の効果」と書くよりも「連帯意識の萌芽」、「モチベーションの向上」と、いくつかの具体的な項目を挙げてやることで、読み手も理解しやすくなるはずです。

✕ 今回、グループ学習を取り入れたことにより、一定の効果を得ることができた。

↓

◯ 今回、グループ学習を取り入れたことにより、連帯意識の萌芽、モチベーションの向上といった効果を得ることができた。

具体的な言葉を補う

文章を書いていると、気づかないうちに説明が不足した記述をしてしまいがちです。たとえば、「山田の本」という記述を考えると、**「の」**について少なくとも以下の3種類の解釈をすることができます。

・山田が持っている本
・山田が書いた本
・山田のことが書かれている本

では、以下の例文はどうでしょう。

✕ ごみ焼却熱の発電では、売電収入を一定量確保することが課題となっている。

この例文に見られる「の」の背景を考えると、次のような書き直しが可能です。

◯ ごみ焼却熱を利用した発電では、売電収入を一定量確保することが課題となっている。

説明の省略は、直前の文章に書かれている事柄を名詞化する働きを持つ**「もの」「こと」**という語においてもしばしばみられます。「の」と同様に、ほかに適切で具体的なことばがある場合は、以下のように意識的に書き直すようにしましょう。

✕ 体験型観光は、九州新幹線の全線開業を機に熊本市が新たに取り組んでいるものである。

↓

◯ 体験型観光は、九州新幹線の全線開業を機に熊本市が新たに取り組んでいる施策である。

◎ いかなる状況でも、飲酒運転は絶対に許されないことである。

↓

◎ いかなる状況でも、飲酒運転は絶対に許されない犯罪行為である。

第3章

何を書くか

レポート作成の最初の段階で悩ましいのは、「何をどう書くか」という問題です。このうち「何を」は、与えられた課題のテーマを絞り込み、伝えるべきこと（主張）を導き出すことで決まります。一連の作業は１枚のイメージ図をつくりながら進めます。紙に書き出されたさまざまな情報やアイデアを整理することで、テーマの絞り込みや主張の決定はスムーズにいきます。こうした執筆前の段取りは、論理的な文章を書く上で欠かせません。第３章では、課題を与えられてからレポートの大黒柱とも言える主張を決めるまでの手順について、実践例を交えながら説明します。

執筆までの手順

戦略を立てる

レポート作成は「何をどう書くか」と考えることから出発します。「書くことが苦手」という人にとっては悩ましい問題でもあります。しかし、一つ一つ手順を踏むことで、悩みを軽くすることができます。

課題をもらって、すぐに書き始めるという人がいます。「書き出しが決まったら、書きたいことは書いているうちに見つかる」というわけです。「書く」ことに自信を持っている人に多いようです。たしかに、短い文章であればそれも問題はないでしょう。ところが、少しばかり長い文章になるとそうはいきません。書き出しの勢いとは裏腹にほとんどの人は途中で失速し、頭を抱えることになります。仮に書き上げることができたとしても、論旨に一貫性がなく、結局のところ何を伝えたいのかわからないという文章になりかねません。手っ取り早く見えても、「考えながら書く」方式の文章作成はひどく遠回りな方法なのです。

レポート作成には、**「急がば回れ」**ということばが当てはまります。執筆するまでにいくつかの段取りが必要だからです。それは、戦略と言い換えることができます。「何をどう書くか」という思案は、戦略を考えるということにほかならないのです。伝えたい主張をはっきりと意識し、どのような手順で読み手に伝えるかという文章全体のイメージを持つことができれば、執筆作業もそれほど苦にはならないはずです。

4つのステップ

課題を与えられて執筆するまでには、以下の4つのステップを踏みます。

執筆までの4ステップ

① 課題のイメージを広げる。
② テーマを絞り込む。
③ 主張を決める。
④ アウトラインをつくる。

4つのステップをまとめると、与えられた課題のテーマを絞り込みながら一番伝えたいことは何かということをはっきりさせ、論証の具体的な道筋をつくるということになります。「何をどう書くか」のうち「何を」にあたるのがステップ①〜③です。第3章ではテーマを絞り込み主張を導き出すまでの手順を紹介し、「どう書くか」にあたるステップ④は第4章で詳述します。

課題のイメージを広げる

イメージ図をつくる

「何を書くか」ということを決めるには、課題のテーマを絞り込まなくてはなりません。その前段階では、**課題から思いつく事柄をできる限り引き出す**作業を行ないます。つまり、いったん課題のイメージを広げるということです。課題のイメージを広げ整理することで、さまざまな切り口が見えてきます。

作業は、まず**イメージ図**をつくることから始めます。1枚の広めの白紙を用意してください。中心に課題を書き込み、これを円で囲みます。あとは課題から連想する事柄を次々と書き込むだけです。関連する事柄は線で結びます。「くだらない」と思ったことでもかまいませんから、頭に浮かんだアイデアをどんどんつないでください。

イメージ図は、頭の中に渦巻く情報やアイデアをひと目で見渡すことができる見取り図のようなものです。人に見せるものではないので、単語、箇条書き、イラスト、記号など、どのようなスタイルで書き込んでもかまいません。文法や表現に気を遣う必要もありません。要は自分にわかればいいわけです。

たとえば、「くまモン」という課題が与えられたとします。熊本県の自治体PRキャラクターとして誕生し、海外にまでその名を知られているあの「ゆるキャラ」です。次のページの図3.1は、くまモンを中心に置いたイメージ図です。自分が持つくまモンに関する知識をフルに動員するだけでなく、くまモンからイメージしたさまざまな事柄を連鎖させています。

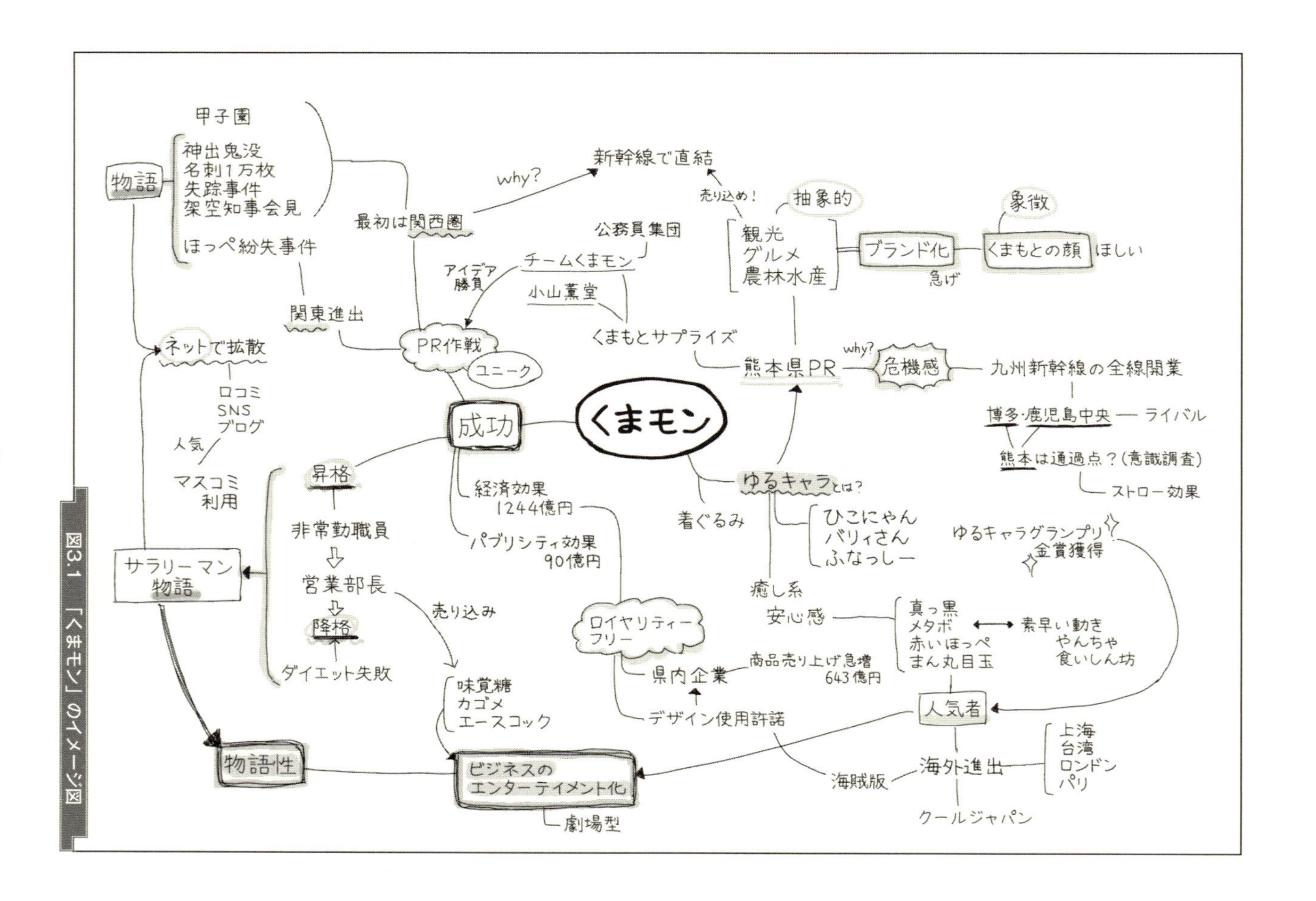

図3.1 「くまモン」のイメージ図

「問い」で広がるイメージ

イメージ図をつくっていると、「何」「なぜ」「どのように」といった問いを心の中でつぶやいていることに気がつきます。これらの問いは、次の枝葉を伸ばすきっかけになります。問いが課題のイメージを広げるための原動力となっているのです。

一方で、問いには答えが必要です。イメージ図でひと通り頭の中の情報を出しつくした後でも、答えきれなかった問いがいくつか残っているはずです。また、意識的にぶつけた新たな問いもあるでしょう。これらの問いに答えるには、関連する文献や資料にあたり、場合によっては実験や観察などが必要になります。

ただ、文献･資料調査、実験、観察などで得た情報のすべてを１枚のイメージ図に書き込むのは不可能です。そこで、**図には象徴的なキーワードのみを書き込み、詳細は別にカードをつくって蓄積**します。カード情報の蓄積は、執筆の際に必ず役に立つはずです。

切り口を探す

１つの問いは新たな問いを生み出します。そして、その問いからも次の問いが生まれます。このような問いの連鎖は、課題にアプローチする切り口をいくつも提示してくれます。

多くの場合、最初の問いは単純で曖昧なものとなりがちです。いくつもの視点から答えることができますから､答えも１通りではありません。したがって、問いの連鎖はさまざまな方向へと向かいます。

たとえば､「くまモン」という課題を与えられて最初に浮かぶのは､**「そもそも､『くまモン』って何だ」**といったたぐいの単純な問いではないでしょうか。この問いに対しては、以下のようにいくつもの答えを用意することができます。

ⓐ 熊本県のPRキャラクター

ⓑ クマの着ぐるみ

ⓒ 九州新幹線の全線開通に伴い、地域振興策の一環として生まれたキャ

ラクター

ⓓ ユニークなPR戦略で知名度がアップしたゆるキャラ

ⓔ 2年間で1200億円を超える経済効果をもたらしたゆるキャラ

これらの答えからは、新たな問いが生まれます。たとえば、ⓓからは「どのような PR 戦略だったのだろうか」というつぶやきが生まれ、作業図の中で次の枝葉を伸ばす栄養分となります。また、ⓔの場合も「なぜそのような経済効果を生むことができたのか」「経済効果の中身はどのようなものなのだろう」などの問いが想定され、さらにイメージ図を広げていきます。

テーマを絞り込む

情報を整理する

ひと通りイメージ図をつくりあげたら、書くべきテーマの絞り込みに入ります。「何をどう書くか」の「何を」の部分を明らかにしていく作業です。

あらためてイメージ図に目を向けると、中心円からいくつもの枝葉が出ていることがわかります。**枝葉の先にあるアイデアや情報の因子は、項目別にグループ化する**ことができます。どのような項目を設定するかは自由です。グループ分けをしていると、別方向に伸びた枝葉の先の因子が同じグループに入ることがあります。また、グループ同士が緊密に関係していることもあります。因子のグループ分けは、このような小さな気づきをいくつも与えてくれます。

それぞれの因子やグループを自分なりに関係づけていくと、レポートの方向性が見えてきます。そして、最終的に選択した方向が最終テーマとなります。図 3.1 からは、因子の中でも重要と考えたキーワードをもとに、「PR 作戦」「経済効果」「人気の秘密」「誕生の理由」などのグループをつくってみました。これらのグループをさらに検討した結果、考え出したのは「くまモン成功の秘密」という最終テーマでした。

最終テーマ決定の目安

最終テーマを決定するにあたっては、以下のような目安とすべきポイントがあります。

テーマ決定のポイント

① 自分自身で興味が持てるか。
② 指定文字数に見合った分量で書くことができるか。
③ 提出期限内にデータや資料・文献を入手できるか。

書き手自身が興味を持つことができるかどうかは、最終テーマを決めるにあたっての最も大切なポイントです。興味もないのに嫌々ながら書かれたレポートを読むほど苦痛なことはありません。しかしながら、課題のイメージを膨らませ整理していけば、どのような課題が与えられても、なんらかの知的興味はわくものです。「これは面白そうだ」という気持ちがわけばしめたものです。直感的なものではありますが、作業を通じて起こる「面白そうだ」という感覚は思った以上に重要です。

ほとんどのレポートには字数制限がありますから、指定された字数で書くことができるかどうかも、最終テーマ決定の目安となります。たとえば、2000字程度で「くまモンについて書こう」と思っても、くまモンの何について書くのかということが絞りきれていないなら、文章は総花的なものになりがちです。どこまでも終わりのない文章になるでしょう。逆に絞り込みすぎると、素材が足りず、指定字数に届かなくなる恐れがあります。内容的にも薄い文章になるでしょう。

最後に、どれだけ興味深いテーマを選び、構成のイメージができているとしても、必要なデータや文献・資料が入手困難なものであっては問題です。すべてのレポートには提出期限があるからです。提出期限から時間を逆算し、作業を進めることが可能かどうかを見極めることも最終テーマの決定に際しては無視できません。

主張を決める

最終テーマを「問い」に置き換える

最終テーマが決まったら、いよいよ一番伝えたいこと、つまり主張を決めます。**主張は最終テーマから発せられる「問い」に対する「答え」**と思ってください。したがって、主張を決めるためには、最終テーマを問いの形に置き換えます。「くまモン」レポートでは、最終テーマを「くまモン成功の秘密」としました。問いの形に置き換えると、**「なぜくまモンはこれほどの成功を収めることができたのだろうか」**という形が考えられます。あとは、その答えを探し出すだけです。

このように説明すると、主張の決定はとても単純に見えます。しかし、注意しなくてはならないポイントがあります。それは、**客観的な理由と根拠を提示することができる主張でなくてはならない**、ということです。論証型レポートでは主張の正当性を理由と根拠で論証しなくてはなりません。したがって、理由と根拠が提示できなくては主張は成り立ちませんし、議論も発展することはありません。

理由と根拠は、イメージ図をつくって整理するという作業の中で目星をつけることができます。逆に言うなら、理由と根拠の目星がついたからこそ、最終テーマや主張が導き出されたとも言えます。このように考えると、課題テーマから執筆に至るまでの一連の作業がいかに必要なものであるかということがわかるはずです。

目標規定文が流れを決める

主張が決まったら、それを１文で書き出しましょう。主張はレポートの大黒柱であり、レポートの流れを決めるものです。すべてのパラグラフ、文は主張があってこそ意味をなします。

とはいえ、実際に学生から提出された文章には、途中で主張とは関係ない方向へと向かったり、ひどい場合は結論部分で主張とは全く逆のことが記述されたりするケースが少なくありません。これは、書き進めるうちに当初の主張を見失ったことが原因です。

主張を忘れないようにするためには、作業中は常に目につく場所に置いておくことです。**自分はこの主張を論証するためにどのように展開するのかということを簡単な文章にまとめる**ことができれば、言うことはありません。このようにレポートの目標を記した簡単な文章を木下（1994, p. 54）[1] は、文章の方向性を規定するという意味で「目標規定文」ということばで紹介しています。目標規定文をつくるということは、レポートの到達点に向けた論証の方向をはっきりと意識することにほかなりません。目標規定文をつくることができたら、次に控える「どう書くか」という詰めの作業も、よりスムーズに進むはずです。

「くまモン」レポートでは、「なぜ成功を収めることができたのか」という最終テーマ（問い）を立てた結果､以下のような目標規定文をつくりました。下線部が主張です。

> 「くまモン」の成功は、物語性を持ったPR戦略とビジネスのエンターテインメント化によるものである、ということを「物語性」「ビジネスのエンターテインメント化」というキーワードを掘り下げることで説明する。

1　木下是雄（1994）．『レポートの組み立て方』．筑摩書房，ちくま学芸文庫．

第4章

アウトラインをつくる

主張が決まったら論証の道筋を考えます。「何をどう書くか」の「どう書くか」の部分にあたる作業です。論証の道筋を目に見える形にしたのがアウトラインです。文章の設計図とも言えます。アウトラインづくりは、まずおおまかなストーリーをつくることから始めます。さらに、おおまかなストーリーに続く暫定的なアウトラインづくりの過程では、収集した情報やアイデアを整理し、取捨選択します。文章の流れが次第にはっきりしてくると、初めに立てた主張に修正を加えなくてはならない場合もあります。このようにして、詳細なアウトラインをつくることができたら、レポートの７割方は完成したと言ってもいいでしょう。「書く」ことへの不安も相当に軽減されるはずです。

文章の設計図

アウトラインの利点

アウトラインは、論証の道筋を詳細に示す文章の設計図です。文章はこの設計図にそって書いていきます。アウトラインづくりは、「何をどう書くか」の「どう書くか」ということを具体化する作業です。

アウトラインを作成する最大の利点は、文章全体の流れをひと目で見渡せるということです。アウトラインで文章の構造を細かく組み立てていくと、話が横道にそれたり途中から主張が変わったりすることがなくなります。つまり、「書きながら考える」式の手法にありがちな落とし穴にはまりこむことがないということです。このため、一貫した論旨の展開が容易になります。きちんとしたアウトラインをつくることができれば、レポートは7割方完成したと言ってもいいでしょう。

アウトラインをつくるもう1つの利点は、必要な情報と必要でない情報の選別ができるということです。アウトラインをつくる作業は、文章をどのように展開していくかというおおまかなストーリーを描くところから始めます。イメージ図を通して整理した大量の情報（素材）も、ストーリーにそって取捨選択していきます。せっかく集めた情報でも、論証の道筋と関係ないものは思い切って捨てます。このように、必要な情報を選び新たに組み立てなおすことによって、レポート全体のイメージが明確になっていきます。

一方、素材を取捨選択していくうちに、情報が不足していることがわかることもあります。論証する上で、「このデータがほしい」、「AとBをつなぐための事実（あるいは先行研究）はないだろうか」という場面は必ず出てきます。足りない情報を補っていくことによって、論証をより強固なものとすることができるわけです。

1つの視点にそって文章の道筋を整理していると、当初の主張が成り立たなくなったり、目標規定文で提示した論証の道筋に齟齬（そご）が生じたりすることもあります。こうした場合、主張、目標規定文の再検討や修正を余儀なくされることもあります。このように、筋道を立てながら物事を突き詰めていくと、当初のもくろみとは違った方向へと向かうこともあります。しかし、それは失敗ではなく、むしろ考えが深まったと考えるべきでしょう。

アウトライン作成の手順

アウトラインは以下の手順でつくります。

アウトライン作成の３ステップ

① 大枠のストーリーをつくる。
② 暫定アウトラインをつくる。
③ 暫定アウトラインの項目を育てる。

ここで言う「ストーリー」とは、目標規定文で示した展開の方針をもう少し詳しくしたものです。簡単な粗筋と考えてください。「Aということを論証するため、最初はBについて説明し、次にCについて書く」といった文章の概略図のようなものです。

ストーリーを描くことができたらそれに従って論証のための項目を設け、必要な情報やアイデアを割り振ります。項目は長いレポートや論文では「章」にあたります。これらの項目を並べたものを、仮に「暫定アウトライン」としておきましょう。この段階で、文章の道筋はかなり見えてきます。暫定アウトラインで設けた項目をさらに整理し、足りない情報を加えながら育てることで、最終的なアウトラインができあがります。

大枠のストーリーをつくる

思考の最短ルートをたどる

論証の道筋は、思考の最短ルートをもとに組み立てます。常に主張を見据えた上で情報やアイデアを検討し、論証に関係ないものは省きましょう。

主張は、イメージ図を整理しテーマを絞り込む作業の末に導き出されます。したがって、作業過程の思考をたどれば、主張を論証することができるように思えます。

これはある意味正しい考え方ですが、現実的ではありません。なぜなら、読み手に余計な情報を与え、かえって混乱させることになるからです。テーマを絞り主張を形にするまでには、さまざまなアイデアや情報の中を行ったり来たりし、時には迷いの森にも踏みこんだはずです。書き手の苦労の軌跡は、話としては面白いかもしれません。しかし、レポートで伝えなくてはならないのは主張であり、主張の正当性です。したがって、構成も脇道にそれることなく一直線に主張へと連なる流れをつくる必要があります。文章の大枠も、主張→理由→根拠と一直線に考えます。

■ 主張に修正を加える

ストーリーは、文章の流れを簡単に表したものです。既に目標規定文で展開の方針を示していますから、それにそってつくっていけばいいように思えます。ところが、実際につくってみると、どうしてもつながらないケースが出てきます。

たとえば、Aという主張をB、Cの項目で論証しようとします。この場合、

① BとCという異なる視点を同列に並べた「並列型」
② BによってCが引き起こされるという「引き継ぎ型」

の2通りが考えられます。ただ、並列型にしても引き継ぎ型にしても、主張AとB、Cの関係が明確でないと、ストーリーとしても説得力を持つことができません。こうした場合は、論証項目を再検討し、場合によっては主張そのものに修正を加える必要が出てきます。

第3章で紹介した「くまモン」レポートの場合も、「『くまモン』の成功は、物語性を持ったPR戦略とビジネスのエンターテインメント化によるものである」という主張にそってストーリーをつくったところ、途中で行き詰まってしまいました（図4.1)。「成功」の秘密と論証2がうまく結びつかないためです。

あらためて第3章のイメージ図（⇒ p. 34）に戻って検討した結果、くまモンによる有名メーカーへの売り込みも論証1の「物語性」の中の一要素ではないか、という考えに至りました。このため、主張を修正しなくてはならなくなりました。あらためて作成したストーリーが、一部を並列型にした（図4.2）です。

〈当初の主張〉
「くまモン」の成功は、物語性を持った PR 戦略とビジネスのエンターテインメント化によるものである。

↓

〈論証 1〉
「くまモン」を使った PR 戦略には、複数の企画からなる物語と「くまモン」の成長物語という 2 種類の物語性があり、これらの物語性が広く受け入れられた。

↓

〈論証 2〉
「くまモン」は、ビジネスそのものをエンターテインメント化した。

↓

×「くまモン」の成功につながらない。

図4.1 「くまモン」レポートのストーリー途中図

〈修正した主張〉
「くまモン」の成功は、PR 戦略に織り込まれたユニークな 2 つのタイプの物語性による。

↓

〈論証 1〉	**〈論証 2〉**
それぞれの企画は一つの物語の中で展開されている。物語そのものがイベントである。	熊本県の非常勤職員から営業部長まで昇格した「くまモン」の成長の経緯は、そのままサラリーマンの成長物語とも言える。

↓

〈論証 3〉
・2 つのタイプの物語はネットを通じて拡散し、「くまモン」のキャラクターとしてのイメージを確立した。
・これによって、くまモンは熊本の「顔」となり、広告媒体としては予想以上の効果を得ることができた。

図4.2 「くまモン」をめぐる修正ストーリー

主張の修正により、目標規定文も以下のように変更しました。

〈最初の目標規定文〉
「くまモン」の成功は、物語性を持ったPR戦略とビジネスのエンターテインメント化によるものである、ということを「物語性」「ビジネスのエンターテインメント化」というキーワードを掘り下げることで説明する。

〈修正後の目標規定文〉
「くまモン」の成功は、PR戦略に織り込まれたユニークな２つのタイプの物語性によるものである、ということをそれぞれの物語性の特徴を明らかにし、それらがどのように成功に結びついたかを検証することで説明する。

文章の大枠を考えることによって、全体の流れを把握することができます。その過程で主張や目標規定文に修正を加えなくてはならなくなったとしても、それは頭の中がさらに整理できたと考えるべきでしょう。

暫定アウトラインをつくる

文章の大枠をつくることができたら、続いてはアウトラインの作成に入ります。アウトラインづくりでは、序論、本論、結論で何をどのような順番で書くかということを決定し、内容に検討を加えながら最終形にしていきます。

暫定アウトラインは作成段階の前半にあたり、**序論、本論、結論の概要を一覧できるようにした書き付け**です。ストーリーをもとに項目を立て、項目ごとに情報やアイデアを割り振っていきます。冒頭には目標規定文を書き込んでおきましょう。

暫定アウトラインもまた、イメージ図やストーリー同様、自分だけの覚え書きと考えてください。したがって、情報やアイデアの割り振りも箇条書きのメモをつくる感覚で行ないます。細かい表現や文法にしばられることなく自由に書き進めてください。これまでに調べた、あるいはこれから必要と思われる資料や文献、さらには追加しなくてはならない調査なども忘れないようにメモしましょう。頭に浮かんだ表現や文章などをその都度書き留めておくと、執筆するとき役に立ちます。

暫定アウトライン作成のポイント

① 冒頭に目標規定文を書く。
② ストーリーをもとに、序論・本論・結論の概要を書く。
③ 箇条書きの要領で、情報やアイデアを各項目に割り振る。
④ これまでに調べた、あるいはこれから必要と思われる資料や文献、追加しなくてはならない調査などをメモする。
⑤ 表現の誤りや重複を気にせず、思いついたことを書き留めておく。

これらのポイント（暫定①〜⑤）を盛り込んだ暫定アウトラインの例を以下に示します。

目標規定文 —— 暫定①

「くまモン」の成功は、PR 戦略に織り込まれたユニークな 2 つのタイプの物語性によるものである、ということをそれぞれの物語性の特徴を明らかにし、それらがどのように成功に結びついたかを検証することで説明する。

序論：総論的に —— 暫定②

・「くまモン」の成功ぶり［経済効果の資料あり］→ PR 戦略がユニーク →その特徴は物語性 —— 暫定③（［経済効果の資料あり］—— 暫定④）

本論1： 第1のタイプである各種企画に込められた「物語性」とその効果 —— 暫定②

・「くまモン」を使った熊本県外での一連の企画には、それぞれが単発ではなく一つの物語の流れがある
・たとえば、関西圏での PR 戦略「くまモンを探せ作戦」（神出鬼没作戦→名刺 1 万枚作戦→失踪事件→ネットでの知事緊急会見）
—— 暫定③

・売り出しの苦労さえも物語化
・一連の物語はネット上で拡散→マスコミも注目［パブリシティ効果資料あり］→あらゆるところで目立って存在→人々の心のバスケットに入る
・ビジネスさえもエンターテインメント化→有名食品メーカーへの直接売り込み→ネット公開
暫定④

本論2： 第2のタイプである「くまモン」の成長の物語とその効果 ― 暫定②
・「くまモン」は誕生からこれまで、ずっと成長し続けている→サラリーマンの成長物語
・一過性のPRキャラからPR戦略の中心に
・臨時職員→県営業部長（降格さえも織り込まれた物語）
・「くまモン」の成長の経緯はサラリーマンの成長物語でもある→非常勤職員から熊本県営業部長へ（ある失敗により一時的に営業部長代理に降格）
・性格の定着（ずぼら、食いしん坊など）→ミッション失敗→第1のタイプの物語性とも連動
暫定③
暫定⑤

本論3： 2つのタイプの物語性が、どのように成功へと結びついたのかということを説明する ― 暫定②
・物語性を与えられたことで、キャラクター・イメージが確立された→人格の付与→「熊本県」という抽象的な存在の「顔」に＝ブランド化／記号化→生きた感情や精神をもってブランドを表現
・その後の県の発展的戦略→デザイン使用許諾料の無料化→経済効果［資料あり］
暫定③
暫定④

結論： 論旨をまとめる ― 暫定②
・キャラクター・イメージを確立＝命のないものに命を吹き込んだ
・会いに行けるゆるキャラ
・「熊本県」という抽象的な存在の「顔」に→ブランド化成功→生きた感情や精神でブランドを表現
・公務員集団の自由な発想が「くまモン」を育てた→人気いつまで→次の一手に期待
暫定③

図4.3 「くまモン」レポート暫定アウトライン

項目を育てる

主な素材を1文にする

ここまでの作業により、少しずつレポートの構成が見えてきました。しかし、執筆するにはまだ不完全です。

アウトライン作成の最終段階では、箇条書きした素材（情報やアイデア）をさらに整理し、主な素材を1つの文にします。素材の整理は、どこで使うか、あるいはどのような具体例を入れるかといったことを考えながら進めます。指定された字数を念頭に、不要な情報を削ぎ落としたり複数の素材を1つにまとめたりすることも必要です。1文にした素材の後には、その文を支える関連素材を並べます。

タイトルをつける

最終的なアウトラインを作成する時点ではレポートのタイトルも考えます(⇒ p. 8)。テーマを絞り込み、主張が形となったこの時点では、既に頭の中の整理も進んでいます。タイトルを考えることで、書きたいこと、書くべきことがはっきりしてきます。

さらには、長いレポートや論文で章や節となる大きな項目ごとに小タイトルもつけましょう。2000字程度の比較的短いレポートでは、「序論」「はじめに」や「結論」「おわりに」といった表記とともに小タイトルを省くこともありますが、それでもこの段階で小タイトルを考えることは不可欠です。なぜなら、小タイトルをつけることで、項目ごとに何を書くかということを明確に意識できるからです。小タイトルをつけることができない項目は、素材がうまく整理できていないということにもなりますので、再検討が必要です。

詳細な設計図に仕上げる

素材をきちんと整理し、大小のタイトルをつけることで、ようやく文章の構成が明確になってきます。

最終アウトライン作成のポイント

① タイトルをつける。
② 冒頭に目標規定文を書く。
③ 序論・本論・結論に小タイトルをつける。
④ 主となる情報やアイデアを１文にまとめる。
⑤ 主となる１文の後に、それを支える関連素材を並べる。

上記のポイント（最終①〜⑤）を盛り込むと、「くまモン」レポートの最終アウトラインは次のようになります。暫定アウトライン（⇒ p. 47）よりも、さらに洗練されているのがわかります。

「くまモン」成功を支えた2タイプの物語性 ―― 最終①

目標規定文 ―― 最終②

「くまモン」の成功は、PR 戦略に織り込まれたユニークな2つのタイプの物語性によるものである、ということをそれぞれの物語性の特徴を明らかにし、それらがどのように成功に結びついたかを検証することで説明する。

1.　はじめに（くまモン戦略の根底にある2つの物語性） ―― 最終③

・熊本県のPR キャラクター「くまモン」の快進撃が止まらない。／誕生から5年間の経済効果、海外までも広がる知名度、広告媒体としての価値／快進撃を支えるのは、ユニークなPR 戦略＝その特徴は「物語性」／ 2つのタイプがある

―― 最終④＋最終⑤

2.　企画をつなぐ第1 の物語性 ―― 最終③

・熊本県外における一連の「くまモン企画」は、一つの物語として語ることができる。／たとえば、関西での戦略（神出鬼没作戦→名刺1万枚作戦→失踪事件→県知事緊急会見）／こうした物語性は、のちに東京地区で展開した「赤いほっぺ紛失事件」でも生かされている
・ビジネスもエンターテインメント化することで、物語の中に取り込んだ。／企業への県産品売り込み＝たとえば味覚糖、カゴメ／ブログへのアップで堅い話も柔らかく
・物語によって紡がれた一連の企画はネットによって拡散した。／口コミ効果／マスコミ注目／人気全国区に

―― 最終④＋最終⑤

3. **人間の成長に擬した第2の物語性** —— 最終③

・「くまモン」の成長の経緯は、サラリーマンの成長物語でもある。／臨時職員→くまもとサプライズ特命全権大使→熊本県営業部長→降格
・県庁職員としての浮沈は人々の共感を呼び、「くまモン」にリアリティーを与えた。／ブランド化の成功／第1の物語性とも連動／くまモンを媒介にして、熊本県というとらえどころのない概念を人格化し、見事に人々と結びつけた

—— 最終④ ＋ 最終⑤

4. **おわりに（2つの物語性がもたらした効果）** —— 最終③

・1200億円を超える経済効果をもたらした直接の引き金はデザイン使用料の無料化であるが、それを可能にしたのは県職員によるユニークなPR戦略である。
・2タイプの物語戦略によって、くまモンを熊本県の「顔」とし、ブランド化に成功した。／キャラクター・イメージの確立／受け手の共感、安心感、面白さ／「熊本県」を人格化＝生きた感情や精神を持った存在に

—— 最終④ ＋ 最終⑤

図4.4 「くまモン」レポート最終アウトライン

この章の冒頭でも触れましたが、アウトラインはレポートの設計図です。設計図を描きながら、全体の分量に合わせた構成を考え、素材を取捨選択していきます。詳細なアウトラインをつくることができれば、「書く」ことに対する漠然とした不安感を解消できます。

なお、図4.4における各項目は、1～2パラグラフ分に相当します。理想を言うなら、パラグラフごとに項目を整理することが望ましいでしょう。パラグラフについては次の第5章で詳しく説明します。

第5章

パラグラフで考える

アウトラインの基本単位となるのが「パラグラフ」です。1つのパラグラフでは、基本的に1つのトピックについてしか書きません。また、パラグラフは、そのパラグラフで最も大切な事柄を1文で表した主題文（トピック・センテンス）と、主題文の内容を詳述する支持文（サポーティング・センテンス）で構成されます。1つの主題文と複数の支持文で構成されたパラグラフをつなげていく書き方を「パラグラフ・ライティング」と言います。パラグラフ・ライティングで書かれた文章は、情報が無駄なく整理され、読みやすくなります。また、パラグラフを無理なくつなげていくことで、書き手も論旨の一貫性を保てます。

パラグラフ・ライティング

「段落」と「パラグラフ」

アウトラインを突き詰めていくと、最終的にはパラグラフに行き着きます。「Ａのことを書いて次にＢのことについて書く」といったおおまかなストーリーも、実際の文章ではパラグラフごとにまとめられていきます。このように、パラグラフを基本単位として論理的な文章を書く手法を**「パラグラフ・ライティング」**と言います。

「パラグラフ」は日本語で「段落」と訳されますが、このテキストでは断りがない限りあえて「パラグラフ」という言い方を使っています。それは、パラグラフ・ライティングにおけるパラグラフが、段落とは少しばかり違った意味合いを持っているからです。

私たちは、小学校のころから「文章を書くときには、段落をつくりましょう」と言われてきました。ところが、段落をつくるための細かなルールを教えてもらった記憶はありません。ほとんどの人が「ちょっと長くなったからこのあたりで文章に区切りをつけようか」とか「おおまかに意味のかたまりができたから区切ろう」といった程度の気持ちで段落を設けているのではないでしょうか。日本語の文章では、前者を「形式段落」、後者を「意味段落」といいますが、段落についてのルールが統一されているわけではなさそうです。

これに対して、パラグラフ・ライティングにおけるパラグラフには、きちんとしたルールがあります。中でも一番大切なルールは**「１つのパラグラフでは１つのトピックしか書かない」**ということ、つまり**「１パラグラフ１トピック」のルール**です。こうやって説明していくと、「パラグラフって意味段落と同じではないか」と思われるかもしれません。しかし、パラグラフには構成の仕方にもルールがあります。そのことについては次節以降で詳しく説明していきます。ここではまず、パラグラフ・ライティングが、伝えたいことを筋道立てて伝えるという目的を達成するのに、理にかなった書き方であるということを述べておきます。

パラグラフの構造

パラグラフ·ライティングにおけるパラグラフは、**1 つの主題文(トピック·センテンス)と複数の支持文(サポーティング·センテンス)**で構成されています。

(主題文)＿＿＿＿＿＿＿。(支持文 1)＿＿＿＿＿＿＿。
(支持文 2)＿＿＿＿＿＿＿。(支持文 3)＿＿＿＿＿＿＿。
(支持文 4)＿＿＿＿＿＿＿。(まとめの支持文)＿＿＿＿＿＿＿。

図5.1 パラグラフの基本構造

主題文では、このパラグラフにどういうことが書かれているか、あるいは一番大切なことは何かということを伝えます。パラグラフの中で核となる部分であり、図 5.1 のように原則としてパラグラフの冒頭に置きます。

支持文では、主題文で提示された内容を詳しく説明します。一文一文が主題文と密接に関係し、支持文同士も意味を持ってつながっています。必要な場合は末尾に「まとめの支持文」を設け、そのパラグラフに書かれた内容をまとめることもあります。

主題文と支持文からなるパラグラフの構造を表した図 5.1 を、実際の文章で見ると、以下のようになります。

> 今回見つかった北斎の肉筆画には、2 つの特徴がある**(主題文)**。1 つは、陰影を用いた独特の描写が、北斎のほかの肉筆画に見られない技法であるということである**(支持文 1)**。もう 1 つは、署名などから制作年や発注者が判明していることである**(支持文 2)**。これらの特徴は、北斎のたぐいまれな技量と、彼を取り巻く時代の雰囲気を現代に伝えている**(まとめの支持文)**。

パラグラフをつなぐ

主題文でわかる文章の大意

パラグラフ・ライティングの最大の利点は、**主題文をたどるだけで文章の大意をつかめる**ということです。それぞれのパラグラフの冒頭で内容を示す主題文が示されているからです。読み手は、主題文をたどるだけで文章全体の内容を把握することができます。また、パラグラフごとに自分にとって必要な情報が書かれているかどうかということが判断しやすいため、極端に言えば、必要のない部分は軽く読み飛ばすこともできます。必然的に読むスピードも速くなります。

実際にパラグラフ・ライティングで書かれた文章は、主題文だけを抽出して並べても、一つの意味のある文章とすることができます。これから紹介するのは、パラグラフを意識して書かれた文章の一部から各パラグラフの主題文だけを取り出して並べたものです。これを読んだだけでも、この文章のおおよその趣旨がわかるのではないでしょうか。

【各パラグラフから主題文を抽出した文章】

一時的に現れた新語・流行語の“賞味期限”はそう長くない。

↓

これに対して、メディアが作りだしたことばでも、時代を的確に表すことばは息が長い。

↓

経済、社会状況を反映することばは、時を経ても存在感がある。

↓

新語は、既存の単語を組み合わせたり、語呂合わせでつくられたり、時にはこじつけとおぼしきものが多いが、時代を的確に語ることばは後世に残る。

以上の主題文に支持文を加えたのが以下の文章です。

一時的に現れた新語・流行語の“賞味期限”はそう長くない。毎年暮れに発表される「新語・流行語大賞」の一覧を見ても、そんなことばがはやったこともあったのかなと、思い出せないものも多い。短いサイクルで現れては消えるのが流行語である。

これに対して、メディアが作りだしたことばでも、時代を的確に表すことばは息が長い。「無縁社会」が10年の「新語・流行語」の一つとなった。地縁血縁が薄れ、家族や社会の結びつきが希薄になっていく状況を取材した「NHKスペシャル」のタイトルで使われた。テレビの造語である。その前は「格差社会」がメディアで盛んに使われた。

経済、社会状況を反映することばは、時を経ても存在感がある。「中流意識」「核家族」「石油危機」「狂乱物価」の後は「価格破壊」「規制緩和」と続いた。「学歴社会」「偏差値」「学級崩壊」「ゆとり教育」と、教育現場の課題が新語、造語となった。好景気に沸いた時代は「神武景気」「岩戸景気」「いざなぎ景気」とメディアが打ち出す新語もエスカレートした。「団塊の世代」は堺屋太一の命名だが、テレビ、新聞、雑誌が繰り返し使った。その世代が「大量退職」の時代を迎え、今やこの国は「少子高齢化」「人口減少」へと向かっている。

新語は、既存の単語を組み合わせたり、語呂合わせでつくられたり、時にはこじつけとおぼしきものが多いが、時代を的確に語ることばは後世に残る。そのことばを聞けば時代が浮かぶようなものは、過ぎた時代の証しとなる。

加藤昌男（2012).『テレビの日本語』. 岩波書店, 岩波新書. pp. 64-65.

このように、主題文同士が無理なくつながっていると、文章全体もすっきりと整理された印象を与えることがわかります。主題文という枠でパラグラフの内容を規定しているために、無駄な情報によって関係ない方向に引きずり回されることもありません。パラグラフはアウトラインの最小単位でもあるわけですから、アウトラインでパラグラフの並びをどうするかということをしっかり考えることができれば、整合性の取れた文章に近づけることができるはずです。

並列型と展開型のパラグラフ

パラグラフをつなぐ方法としては、**並列型**と**展開型**の２つのパターンがあります。並列型と展開型のイメージは、図5.2のようになります。

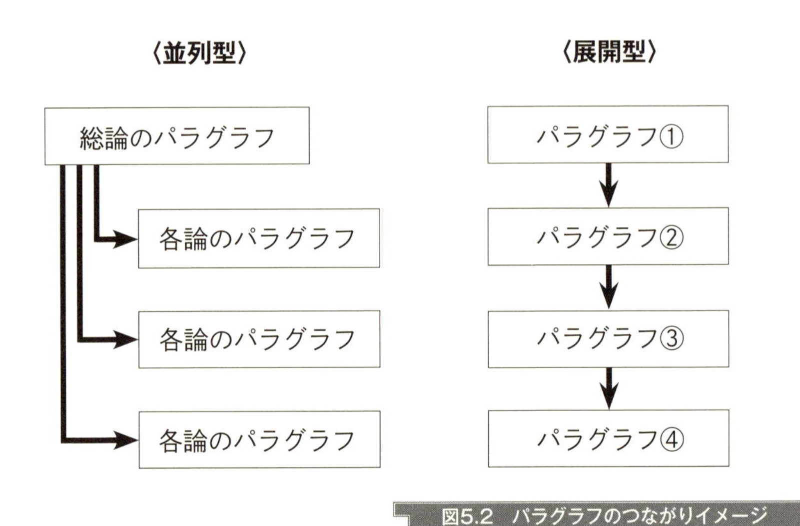

図5.2　パラグラフのつながりイメージ

並列型は、同列に扱うべき事柄を順に説明していく書き方です。たとえば、「一つ目は」「二つ目は」とか、「第一に」「第二に」、「まず」「次に」といった文言から始まるパラグラフを持つ文章を思い描いてもらえばいいでしょう。こうした書き方は、たとえば右から左、あるいは上から下といった空間的な配列を説明する場合や手順などを説明するときに便利です。この場合、並列的に並べたパラグラフ群の上位に、総論的なパラグラフを設定すると、読む側も以後の展開をいち早く頭に入れることができるので、理解も早まります。

一方、**展開型は、前のパラグラフを受けて次のパラグラフを展開する手法**です。単純なケースとしては、前のパラグラフと後のパラグラフを適切な接続表現でつなぐという方法があります。前項で紹介した例文の第２パラグラフに見られる「これに対して」という接続表現がその例です。

また、前のパラグラフで提示したキーワードや内容を次のパラグラフの主題文で引き継ぐ方法もあります。例文では、第３パラグラフの主題文の主語となっている「ことば」が、前パラグラフの重要なキーワードでもあります。しかも、「メディアが作りだしたことば」（第2パラグラフ）と「経済、社会状況を反映することば」（第3パラグラフ）の関係は並列的でもあります。

展開型にはこのほかに、前のパラグラフの最終文を受けて主題文を始めるという方法もあります。たとえば以下のような文章です。

> 日本語文章の書き方として最もなじみがあるのは、「起承転結」と呼ばれる構成のスタイルである。小学校時代から教え込まれてきただけに、多くの人は「文章は『起承転結』で書くこと」と思いこんでいる。しかし、このスタイルは、論理的な文章を書くには適していない。特に、レポートや論文では避けるべきだ。それはなぜだろうか。
>
> 「起承転結」がレポートや論文に適さないのは、論理的文章では最初に主張、つまり「起承転結」に言う「結」を提示して論証する形をとるからである。……

この例文では、第1パラグラフの最終文「それはなぜだろうか」（下線）という問いに応じる形で次のパラグラフが展開されていきます。

パラグラフ内の展開

文をつなぐ

主題文同士のつながりと同様に、1つのパラグラフ内で展開される文の関係も整合性のあるものでなくてはなりません。つまり、文同士が意味のあるつながりを持っているということです。

特に、**すべての支持文は、主題文となんらかの関係を持っています**（図5.3）。逆に言うと、主題文と関係のない支持文は不必要な情報ということになります。不必要な情報が入ると文章の流れが切れたり、話題が関係ない方向へ向かっ

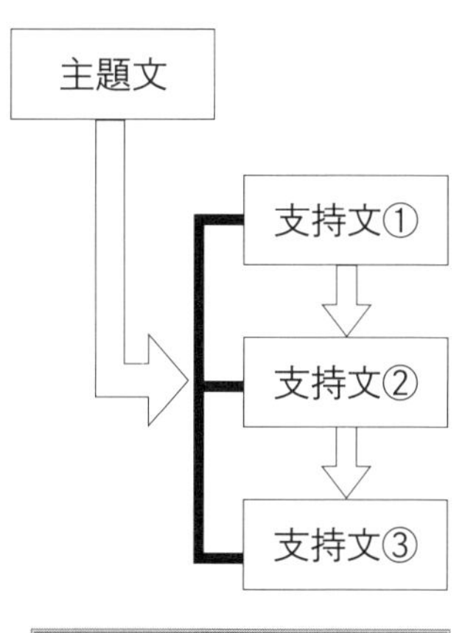

図5.3 主題文と支持文の関係

たりします。たとえば、以下のような文章がそれです。

【不必要な情報が入ったパラグラフ例】

ネルソン・マンデラ氏の追悼式典は、多人種が共生する「虹の国」という彼の理想を具現化したかのような印象深いものだった。アパルトヘイト（人種隔離）時の南アフリカにあって、彼は反アパルトヘイト闘争の先頭に立ち続けた。それがために白人政権によって27年間の投獄生活を余儀なくされた。追悼式典の当日、会場外には開始前から多数の市民が集まり、歌や踊りで彼をたたえた。そして式典は、アパルトヘイト時代に黒人が歌った「闘争歌」と白人政権時代の国歌を組み合わせた現国歌の大合唱で始まった。長い獄中生活においても、彼の闘争は憎悪に満ちた人種排除への道をたどることはなかった。恩讐を超えた和解の呼び掛けは、実に彼が獄中時代から行なっていたものであった。人種や宗教を超えて一つになった数万人の歌声は、インターネットを通じて世界中の人々の心に届いた。

このパラグラフで書き手が最も伝えたいことは何でしょうか。注意して読むと、マンデラ氏の追悼式典の描写（下線═）と闘争に関する事柄（下線―）とが入り混じっています。そのため、文同士のつながりが悪く、内容が伝わりにくくなっています。

それぞれの情報を整理すると、以下のようになります。

追悼式典の描写（下線═）	闘争に関する事柄（下線―）
〈主題文〉 ネルソン・マンデラ氏の追悼式典は、多人種が共生する「虹の国」という彼の理想を具現化したかのような印象深いものだった。	〈主題文〉 アパルトヘイト（人種隔離）時の南アフリカにあって、彼は反アパルトヘイト闘争の先頭に立ち続けた。
〈支持文〉 ⓐ追悼式典の当日、会場外には開始	〈支持文〉 ⓐそれがために白人政権によって

前から多数の市民が集まり、歌や踊りで彼をたたえた。 ⓑそして式典は、アパルトヘイト時代に黒人が歌った「闘争歌」と白人政権時代の国歌を組み合わせた現国歌の大合唱で始まった。 ⓒ人種や宗教を超えて一つになった数万人の歌声は、インターネットを通じて世界中の人々の心に届いた。	27 年間の投獄生活を余儀なくされた。 ⓑ長い獄中生活においても、彼の闘争は憎悪に満ちた人種排除への道をたどることはなかった。 ⓒ恩讐を超えた和解の呼び掛けは、実に彼が獄中時代から行なっていたものであった。

このように整理すると、1つのパラグラフで2つのトピックを同時に記述することは、読み手に対して親切ではないことがわかるはずです。文章そのものもすっきりしません。この文章を追悼式典の描写に絞って書き直したのが、以下の例文です。

【追悼式典に絞った書き直し例】

ネルソン・マンデラ氏の追悼式典は、多人種が共生する「虹の国」という彼の理想を具現化したかのような印象深いものだった。会場外には開始前から多数の市民が集まり、歌や踊りで彼をたたえた。式典は、アパルトヘイト時代に黒人が歌った「闘争歌」と白人政権時代の国歌を組み合わせた現国歌の大合唱で始まった。人種や宗教を超えて一つになった数万人の歌声は、インターネットを通じて世界中の人々の心に届いた。

この例文では、すべての支持文は主題文を念頭に書かれています。支持文同士にもつながりがあります。支持文は主題文の内容を深く掘り下げるものです。したがって、一つ一つの支持文には主題文に対して明確な役割があります。役割を持った支持文が意味のあるつながりを持って並ぶことで、論理的なパラグラフはできあがっていきます。

支持文の役割

支持文の役割としては、主に以下の6項目が考えられます。

支持文の役割

① 主題文に対する理由づけ
② 理由の正当性を証明する根拠（例示、データ）
③ 主題文の詳述
④ 主題文の言い換え
⑤ パラグラフの総まとめ
⑥ 次のパラグラフへのつなぎ

これらの役割を頭に置いて、次の例文を見てみましょう。

　がんは、「国民病」とも呼ばれている**（主題文）**。というのも、がんが30年以上前から日本人の死因の1位を占めているからである**（主題文に対する理由付け）**。日本では年間30万人ががんで死亡している**（1つ目の根拠）**。また、生涯にがんにかかる可能性も、男性の2人に1人、女性の3人に1人に及んでいる**（2つ目の根拠）**。いまやがんは、誰にでもふりかかる病と言える**（主題文の言い換え、パラグラフの総まとめ）**。

この例文からは、一つ一つの文がなんらかの役割を持っていることがわかります。このため、無駄な情報がなくすっきりと読むことができます。

展開のパターン

パラグラフ内の支持文を無理なくつなぐには、**「引き継ぎ型」「並列型」「統一型」「接続型」**の4パターンの展開が考えられます。もちろん、これらの展開のパターンは柔軟に組み合わせることも可能です。

引き継ぎ型：直前の文で紹介したキーワードや事柄を引き継いで次の文を展開する。

論理的な文章を書くためには、詳細なアウトラインをつくることが必要である。アウトラインとは文章の設計図である。文章の設計図はパラグラフを最小単位とする。そして、パラグラフはそれぞれのトピックのかたまりである。そのトピックを一言で言い表す主題文を、適切に並べることで、アウトラインはできあがっていくのである。

並列型：最初にいくつかのキーワードを列挙し、続いて一つ一つの簡単な説明をしていく。

「報・連・相」は、ビジネスマンの基本である。「報」とは担当する仕事の進捗状況や問題点、結果を報告することである。また、「連」は取得した情報を連絡し、共有することである。そして、「相」は、トラブルなどの発生時、速やかに上司などに相談し善後策を検討することである。「報・連・相」の徹底が、風通しのよい職場環境を創出し、一人一人の仕事を円滑にするのである。

統一型：同じキーワードを繰り返し使っていく。

がんは、「国民病」とも呼ばれている。というのも、(がんは) 30年以上前から日本人の死因の1位を占めているからである。日本では年間30万人ががんで死亡している。また、生涯にがんにかかる可能性も、男性の2人に1人、女性の3人に1人に及んでいる。いまやがんは、誰にでもふりかかる病と言える。

接続型：適切な接続表現を交えながら、前後の論理的な関係を明らかにしていく。

民間療法の中には、医学的な根拠がないばかりか、かえって健康被害を招くものも少なくない。たとえば、突き指をしたときには、その指を強く引っ張れば即座に完治すると言われている。しかし、けがの詳細もわからずやみくもに指を引っ張れば、脱臼や神経破断を引き起こす恐れがあり、危険である。また、「毒蛇にかまれたら毒を口で吸い出せ」という言い伝えも、口粘膜から毒が体内に入ったり誤ってのみ込んだりして命さえ危険にさらすことになりかねない。このように、健康に対するリスクの大きさを考えると、「昔からの言い伝えだから」という理由だけで民間療法に傾斜することは考えものである。

第6章

序論と結論を書く

レポートの本体を構成する序論・本論・結論のうち、まず、序論ではどんな主張をどのように展開していくのかということを明らかにします。文章の最初の段階で手の内を見せてしまおうというわけです。読み手にしてみれば、あらかじめ目的地を知らされ、そこまでの地図を手渡されたようなものです。そのことによって読むスピードも速くなりますし、何よりもストレスを感じずに理解することができます。また、序論を読んだだけで、自分に興味がある内容であるかどうかという判断もできます。一方、結論では、これまでの議論の内容を振り返り、あらためて主張を確認します。必要に応じて、今後の展望や新たにわき起こった疑問なども記します。

序論の役割

目的地と道筋を示す

レポートや論文といった学術的文章の大きな特徴の一つは、**最も伝えたいこと（主張）を文章の最初の段階で明らかにする**ということです。文章の最初の段階というのが序論です。序論ではテーマにそって問題を設定した後、主張を明らかにし、必要に応じて本論での展開を予告します。このため、序論を読めばレポートにどのようなことが書いてあるのか、書き手がどのような位置に立って論じているのかということがわかります。

序論は文章全体の地図のようなものです。この地図には目的地が記され、道筋が記されています。このため、地図を手にした人は、これから自分がどこへどのような道を通って連れて行かれるのかをあらかじめ知ることができます。最初から目的地と道筋を知ることによって、心の準備もでき、旅も快適なものとなるはずです。

このように、序論の目的は読み手に心の準備をさせ、以後の詳細な説明を負担なく理解してもらうことにあります。分量は文章全体の 1 ～ 1.5 割程度しかありません。しかし、レポートを手にした読み手を「読んでみよう」という気にさせるかどうかは、序論のよしあしにかかっています。

展開の３段階

序論は、**状況の設定**、**問題の焦点化**、**主張の３段階**で展開します（図 6.1）。

状況の設定：議論の前提となる情報
問題の焦点化：テーマの絞り込み、問題提起
主張：提起された問題への答え、論証のための展開予告

図6.1　序論の展開

「状況の設定」とは、議論の前提となる情報を与えることです。これから何かを論じるにあたって、読み手に最低限知っておいてほしい情報を示します。それによって、書き手と同じ土俵に上がってもらうわけです。

「**問題の焦点化**」とは、設定した状況の中から、論じようとする問題を絞り込むことです。たとえば、ある状況の中でどのような事象、あるいはどのような問題が起こっているのかということを示します。書き手の問題意識が問われる部分でもあります。

最後の「**主張**」は提示された問題に対する答え、すなわち、レポートで一番伝えたいことです。長いレポートでは、必要に応じて本論をどのように展開するかということも示します。

絞られていく視点

以上の説明を簡単な文章を使って示したのが図 6.2 です。

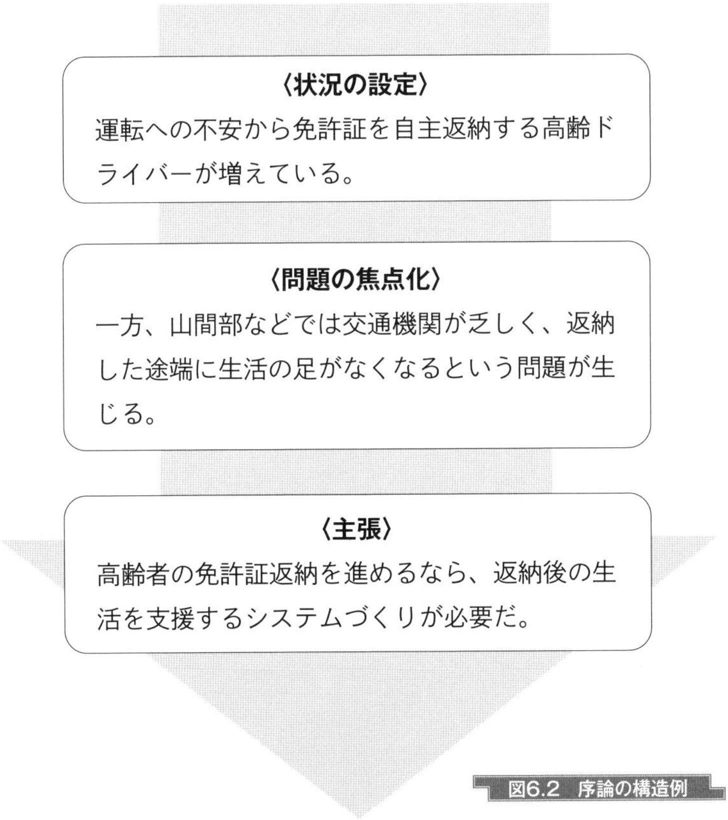

〈状況の設定〉
運転への不安から免許証を自主返納する高齢ドライバーが増えている。

〈問題の焦点化〉
一方、山間部などでは交通機関が乏しく、返納した途端に生活の足がなくなるという問題が生じる。

〈主張〉
高齢者の免許証返納を進めるなら、返納後の生活を支援するシステムづくりが必要だ。

図6.2 序論の構造例

図6.2では、免許証を自主返納する高齢ドライバーが増えているという大きな状況を示した後、交通機関が乏しい地域の問題へと視点を絞り、自主返納者の足を確保するためのシステムづくりの必要性を訴えています。書き手の視点は、状況の設定→問題の焦点化→主張といくにしたがって絞られているのがわかります。

視点が絞られていく様子を実際の序論の文章で見てみましょう。以下に示す2パラグラフからなる文章は、「消費社会の自己増殖を支えたテレビ」というタイトルで書かれた学生のレポート（4000字程度）の序論部分です。説明のために、それぞれの文には番号をつけています。

> **①「消費社会」とは、幅広い階層において消費が高い水準で熱心に行なわれ、消費すること自体が大きな意味を持つようになった社会である。② わが国では高度経済成長期にその萌芽を見ることができる。③ こうした社会では、際限のない「豊かさ」の欲求に触発された消費とモノやサービスの生産の循環が、自己増殖するように拡大していく。**
>
> **④ ここで注意しなくてはならないのは、人々が抱く「豊かさ」のイメージが、刷り込まれた幻想にしか過ぎないということである。⑤ この刷り込みに大きく貢献してきたのがテレビである。⑥ テレビによる大量かつ一方向的な「豊かさ」のイメージ伝達は、人々の価値観やライフスタイルさえも一変させ、人々を消費へと駆り立ててきた。⑦ つまり、テレビが消費社会の自己増殖を下支えしてきたのである。**

この文章を分解すると、「状況の設定」が①〜③（第1パラグラフ全体）、「問題の焦点化」が④〜⑥、「主張」が⑦にあたります。状況の設定→問題の焦点化→主張と視点を絞り込むことで、読み手は自然な形で誘導されます。なお、2パラグラフ合わせて340字程度の字数は、レポート全体の1割弱にあたります。

序論における文章の流れは、本論での展開の仕方も予告しています。2パラグラフの文章の中には、「消費社会」「自己増殖」「『豊かさ』のイメージ」「テレビ」といったキーワードが出てきます。実際、本論は「『豊かさ』のイメージと消費社会の自己増殖との関係」「そこでテレビが果たした役割」という2

段構えの構成で書かれています。**重要なキーワードを示すことによって、序論は総論的な役割も担っている**のです。

書き出しを考える

書き出しの重要性

序論を考えるうえで無視できないのは、書き出しです。レポートに限らず、作文や感想文を書くときでも、「さて、どんなふうに文章を始めようか」と頭を悩ませた経験があるはずです。書き出しの文がぱっと浮かべばいいのですが、そうでない場合の方が多いのではないでしょうか。ですから、「序論ではまず状況の設定をします」と言われても、なかなかイメージとしてつかみにくいかもしれません。

書き出しは読み手の興味を引きつける重要な部分です。文章の書き出しに頭をひねるのは、そのことを経験的に自覚しているからなのです。多くの場合、最初の文が決まると後に続く文章のイメージが浮かんできます。紙の上のペンの走りもキーボードをたたく指の動きも軽快になります。

そこで、問題です。次に示す3つの文は、それぞれ、何という文学作品の書き出しでしょうか。

ⓐ 親譲りの無鉄砲で子供の時から損ばかりしている。
ⓑ 国境の長いトンネルを抜けると雪国であった。
ⓒ メロスは激怒した。

いずれも有名な文ですから、原作を最後まで読んだことがなくてもかなりの人が答えられるのではないでしょうか。念のために答えを明かしますと、ⓐが夏目漱石の「坊っちゃん」、ⓑは川端康成の「雪国」、ⓒは太宰治の「走れメロス」です。いずれの書き出しも、読者の気持ちをわしづかみにし、物語の世界に誘い込む名文といえます。3人に限らず、文章を生業とする人には、文章の書き出しに神経を使う人が多いようです。

レポートを書くのに文才はいりませんし、名文をひねり出す必要もありません。しかし、人に読ませるための工夫はしたいものです。レポートも「人に読んでもらう」文章だからです。最初の1文で読み手を「読んでみよう」という気にさせることができたらしめたものです。

書き出しのパターン

とはいえ、何の手がかりも与えられないままに「書き出しは重要です」と言われても、「書くのが苦手」と思い込んでいる人にはもやもやした気持ちが残るのではないでしょうか。どのように書き始めるかということは、同じ主張をするにしても人によってまちまちですし、それこそ無数にあると言ってもいいかもしれません。そのことを踏まえた上で、あえていくつかの書き出しのパターンを紹介します。レポートを書くことに慣れたいという人は、これらのパターンをまねてみるのもいいでしょう。

以下に示す文章は、いずれも第3章から第5章で扱った「くまモン」レポートを想定した序論部分です。2000字程度という総量を考え、それぞれの文章の量も全体の1～1.5割程度になるように書いています。

書き出しパターン① 実際にあった象徴的な出来事

PRキャラクターながら熊本県庁で非常勤職員から営業部長に抜てきされた「くまモン」が、営業部長代理に降格された。知事に申し渡された「ダイエット作戦」に失敗したための“懲戒”処分である。「熊本のおいしいものを食べ過ぎて太ってしまったモン」という言い訳はネット上でも評判になった。PR媒体としての「くまモン」の特徴は、このようにさりげなく「熊本」を印象付けていることである。このさりげなさが、「くまモン」を使った熊本のブランド化推進の基本的な姿勢である。

書き出しパターン② 重要概念の定義

「くまモン」とは、2011年の九州新幹線全線開業を盛り上げるために誕生した熊本県のPRキャラクターである。全国に数千といわれるご当地キャラクターがいる中で、「くまモン」は人気、経済効果の面から見ても代表的な存在として注目を集める。なぜ、「くまモン」が成功を収めることができたのだろうか。それは、関西をターゲットに絞って熊本県が巧みに試みた２段階のPR戦略に負うところが大きい。

書き出しパターン③ 伝えようとする事柄の背景

「ゆるキャラ」という名称には３つの条件があるとされる。すなわち、① 郷土愛に満ち溢れた強いメッセージ性、② 立ち居振る舞いが不安定かつユニーク、③ 愛すべきゆるさである。熊本県の人気PRキャラクター「くまモン」は十分にこれらの条件を満たし、「ゆるキャラ」の王道を歩んでいる。これに加えて、ネットや口コミを利用した巧みなPR戦略をとったことで、「くまモン」成功への道が開けた。

書き出しパターン④ 興味を引く数字

熊本県のPRキャラクター「くまモン」のデザインを利用した商品の売り上げが2014年は643億2200万円に達した。前年比43.1％増という伸びは、「くまモン」人気が依然高いことを示している。日銀（2013）[1]が算出した経済効果も2年間で1244億円に達する。「くまモン」がこのような果実を実らせるきっかけは、約2年間にわたる関西でのユニークなPR活動である。「くまモン」の成功は、エリアを絞り、そこに住む人たちが好む形で集中的に行なったPR戦略に負うところが大きい。

書き出しパターン⑤ 著名な人の著書や発言の引用、箴言

「広告はモノを疑似イベントに仕立て上げる」。現代社会を消費社会という概念で分析したボードリヤールは、広告の効果についてこのような言説を残している（ボードリヤール, 1995）。[2] 人気ゆるキャラ「くまモン」は、熊本県の広告塔である。農林水産物、観光資源、風土などの総体である熊本県という抽象的な概念（モノ）を象徴する「顔」

---

1 日本銀行熊本支店（2013）.「くまモンの経済効果」,『日本銀行熊本支店ホームページ』. <http://www3.boj.or.jp/kumamoto/tokubetsu_chosa/20131226kumamon.pdf> 2015 年 3 月 31 日閲覧.

2 ボードリヤール, J., 今村仁司, 塚原史訳（1995）.『消費社会の神話と構造』. 紀伊國屋書店. p. 185.

となることで、1200億円を超えるとされる経済効果をもたらした。このような成功は、「くまモン」が「熊本県」を一種のブランドとし、疑似イベントに仕立て上げたことで成立した。

書き出しパターン⑥ 意表を突いた記述

一度きりのイベントで消えるはずのキャラクターだった。それが、いまや熊本県の「顔」となり、その名は国内だけでなく海外にまで知られるようになった。熊本県のPRキャラクター「くまモン」の勢いが止まらない。2年間でもたらした経済効果は1200億円を超えるとされる。これだけの成功をもたらしたのは、熊本県が知名度アップ作戦と並行してデザイン使用を無料としたためである。

書き出しパターン⑦ 答える必要のない漠然とした問いかけ

「くまモン」人気はいつまで続くのだろう。2010年に誕生した熊本県のご当地キャラクターは、翌年「全国ゆるキャラグランプリ」で頂点に立つと、その人気を全国区とした。いまや日本を代表するゆるキャラとして、中国や欧米圏でも認知されている。こうした人気の拡大は、インターネットに負うところが大きい。いまやネットによる情報発信は珍しくないが、「くまモン」の特異性は、発信される個々の情報や活動が大きな物語の中に組み込まれていることである。その物語性によって、「くまモン」はリアリティーを持った存在として受け入れられてきた。

結論を書く

第1章で、**結論は「これまで繰り広げてきた文章の論点を簡単にまとめ、主張を再確認」する部分**であると説明しました（⇒ p. 11）。結論では、本論での議論の内容を簡単にまとめたのちに、あらためて主張を確認します。「念押し」と言ってもいいかもしれません。その場合、**序論で提示した主張と同じ表現は避けます。**以上のことを踏まえ、結論の展開例を紹介します。説明をわかりやすくするため、第4章で作成を試みたアウトラインをもとに序論での主張と本論部分のおおまかな展開を記述しています。

〈序論（主張）〉
「くまモン」の成功は、2つのタイプの物語性を持ったPR戦略によるものである。
〈本論〉
1.　PR戦略に込められた第1の物語性
2.　人間の成長に擬した第2の物語性
3.　物語がもたらした効果
〈結論〉
　2つのタイプの物語性を付与され続けることで、「くまモン」の自由奔放なイメージは強化されていった。そのイメージはネットによって拡散され、広告媒体としての価値を大きくしていった。こうして、当初の予想を超えた経済効果を生み出すことになったのである。
　一方で、物語性に満ちた「くまモン」戦略は、ともすればお堅いと見られがちな公務員集団が自らの殻を破る中から誕生したということも見逃してはならない。奔放に成長を続ける「くまモン」がもたらしたものは、経済効果だけでなく、自由な発想を育む土壌であるとも考えられる。

2パラグラフからなる結論は、本論の流れを簡単にたどった最初のパラグラフだけでも十分にまとめの役割を果たしています。したがって、このパラグラフでレポートを終わらせることも可能です。

第2パラグラフでの展開は、これまで書いてきた内容を踏まえた上で、新たな視点を示唆したものです。このほか、結論では今後の展望や残された疑問、採用した資料・実験の限界などにも言及することがあります。

第７章

文献・資料を引用する

レポートや論文といった学術的文章では、他人の手による文献や資料を引用することが不可欠です。引用とは他人の考えを借りて自らの記述を補強する手法です。引用を行なうにあたっては、その記述が引用であるということがはっきりとわかる書き方をします。そのためには、引用元（出典）を明らかにします。引用した文献や資料の詳しい情報（書誌情報）を示すことも必要です。こうしたマナーを無視し、人の考えをあたかも自分の考えであるかのように記述する行為は「剽窃（ひょうせつ）」として厳しく批判されることになります。第７章では、引用にまつわる最低限のマナーを説明します。

引用のマナー

文章の信頼性を高める引用

レポートや論文では、他人の考えを借りること、つまり文献や資料の「引用」が避けられません。それは、引用が自分の考えを補強する有力な根拠となるからです。引用することにより、自分が提示した考えや見解について、ほかの人がどのように考えているかを示し、幅広い視点を読み手に紹介できます。書き手と同じ考えを紹介して論証を補う場合もありますし、逆に反対の考えを挙げて反論を加えることで自身の記述の正当性を際立たせることもあります。引用をうまく組み込むことができれば、文章の信頼性も高まります。

引用にあたっては、それが他人の考えであるということを必ず示さなくてはなりません。その記述が自分の考えであるのか、それとも他人の考えであるのかということを読み手にわかるようにするということです。もっと具体的に言うと、**文章の中でどの部分が引用によるものなのかがわかるような記述をし、それが誰の何という文献・資料によるものかということ、つまり出典を明らかにします。**

学ぶ姿勢が問われる剽窃(ひょうせつ)

もし、他人の考えをあたかも自分の考えのように記述したら、その行為は**「剽窃」**として厳しく非難されることになります。剽窃は他人の考えを盗む行為にほかなりません。したがって、剽窃に対しては厳しいペナルティが科されることも少なくありません。

仮にペナルティを免れたとしても、道義的な問題は残ります。それは、私たちが接しているすべての知識が、先人のたゆまぬ努力の上に成り立っているからです。それを「盗む」という行為は、先人に対する敬意を失した行為でもあります。ペナルティの有無にかかわらず、剽窃は私たちの学ぶ姿勢が問われる問題であるとも言えるでしょう。

文章の主役は書き手

とはいえ、出典を明らかにしたからといって、やみくもに引用していいというわけでもありません。学生から提出されるレポートや論文には、全編引用だらけという文章が少なくありません。大量の引用文と引用文の間に申し訳程度に自分のコメントを入れてつないだ文章がそれです。学術的文章において引用は不可欠なものといっても、これでは単なる文献の紹介にしかすぎません。

あくまで文章の主役は書き手の考えであり、引用は主役を支えるものでなくてはなりません。したがって、引用する場合はそうするだけの必然性が必要です。文献にある文章をだらだらと書き写すのではなく、最低限必要なものに絞らなくてはなりません。大切なことは、自分の考えをどのように組み立てるか、そのためにどのような文献・資料を取り込んで補強するかといった基本的な意識を見失わないことです。

直接引用と間接引用

引用には**直接引用**と**間接引用**の２通りの方法があります。直接引用は文献の必要な部分を一字一句変えずに引用します。一方、間接引用は要約引用とも言い、文字通り文献の一部あるいは全体の内容を要約して文章の中に取り込む方法です。この場合、内容を自分のことばに置き換えて記述することもあります。直接引用、間接引用ともに、出典を明らかにするなどして、文献・資料からの引用であるということがわかるような記述をします。

直接引用

引用が短いときは、その部分を「　」でくくって表記します。この場合、３行程度までを目安とします。それを超える量の引用は、本文との間を１行あけ、さらに引用部分を本文から２～３字分落として本文と区別するといった工夫が必要です。このような直接引用を**「ブロック引用」**と言います。

【短い直接引用例】

テレビが高度経済成長に伴う大量生産・大量消費の時代を支えた。

高度経済成長期は「テレビを中心にするマスメディアが人々のコミュニケーションを支配し、情報を全国規模で均質化していく時期」（松原, 2000, p. 80）と規定することもできる。

【ブロック引用例】

政治の進歩について論じるにあたり、京極はまず知識の累積性と個々人との関係を取り上げ、以下のように言及している。

> 知識の累積性は先人の到達点を自分の出発点とすることを可能とし、知識の累積的進歩を加速した。知識の進歩は「技術の制度」の進歩となり、文明の「進歩」となって、「進歩の信仰」を保障した。（中略）政治生活もまた、「進歩の信仰」の例外ではない。（中略）/ これに対して、生物個体として肉体を持つ個々人が、自由な個性として過ごす人生には、累積性はない。また、個個人（ママ）に一身専属する身体能力、すなわち、記号と抽象を操作する知的能力、芸術、技能、体育など具体と交渉する能力、対人関係の実技能力、さらには、自己の情動、衝動、行動を制御、管理、支配する自治能力ないし道徳能力、これらのいわば人生能力には世代をつなぐ累積的「進歩」はない。（京極， 1983, pp. 84-85）

政治における進歩の累積性を指摘した京極は、さらに公共サービスや社会福祉の拡充も累積的な進歩ととらえる。……

直接引用では、原文の用語、用字を勝手に変えることは許されません。たとえ、誤字やことばの誤用があったとしても、勝手に修正せずそのままの表現で引用します。なお、読み手の便宜を図るために旧仮名遣いを新仮名遣いに改めたり、常用漢字に改めたりした場合は、その旨を明記しなくてはなりません。

直接引用で使用する表記を表7.1にまとめました。

表記	意味
/	原文では改行されていることを表す。
(中略)	長すぎる原文から不必要と思われる部分を省略したことを示す。原文の一部を省略する場合は、原文の論旨を損なわないようにする。
(ママ)	明らかに誤字、誤用とわかる場合などは、当該個所の後に「(ママ)」という表記を付し、引用のミスではなく原文のままであることを示す。前ページのブロック引用例における「個個人」の直後にある「(ママ)」は、誤字や誤用ではなく、前の行に「個々人」という違った表記があるために、転記ミスではないということを示している。

表7.1　直接引用で使用する表記

間接引用

間接引用(要約引用)は、引用する文献の筆者がどのようなことを言っているかということを簡潔にまとめたものです。要約の範囲が文献の一部なのか、あるいは全体にわたるのかということは、引用する側、つまり書き手の意図によって変わってきます。また、文献の中に示されているキーワードや重要な部分は「　」でくくります。間接引用の場合、直接引用以上に文献の内容を理解し使いこなすことができるということが前提になります。

【間接引用例 1】

斎藤は嗜癖の本質の一つとして「スリ替え充足」を挙げ、満たされない愛着欲求によって引き起こされる不安や怒り、抑うつが嗜癖行動にすり替えられると指摘する(斎藤, 1984)。さらに斎藤は、嗜癖行動にすり替えられた真の欲求が「母からの抱擁」であるとし、人生早期の母子関係や心理的発達を嗜癖と深く関連づけている(斎藤, 1988)。……

文献や資料を提示する際、何について書いてあるかを簡単に紹介するだけという場合もあります。特に、自然科学系の文章でよく見られるケースです。

これも間接引用の一種と言えるでしょう。

【間接引用例 2】

Watson らは自己愛、自尊心と親の養育態度の関係について検討し、自己愛の概念そのものに自尊心が含まれていると結論づけた（Watson et al., 1995）。一方、自尊心の低下とうつ病との関連を示す報告も数多く報告されている（Roberts et al., 1996: Abela, 2002）。……

出典を明らかにする

直接引用であれ間接引用であれ、文献から引用するときは、誰が著した何という文献からの引用であるかということ、つまり出典を明らかにしなくてはなりません。これによって、書き手の考えと他人の考えを明確に区別することができます。

■ 著者年方式

前節で紹介した各例文には、（松原, 2000, p. 80）、（京極, 1983, pp. 84–85）、（斎藤, 1984）、（斎藤, 1988）、（Watson et al., 1995）、（Roberts et al., 1996: Abela, 2002）[1] といった記述が見られます。これらは、引用先の文献を簡単に表したものです。たとえば、（松原, 2000, p. 80）は、松原という人が

---

1 本章の例文で使用した各文献の書誌情報は以下の通りです。

松原隆一郎（2000）.『消費資本主義のゆくえ―コンビニから見た日本経済』. 筑摩書房, ちくま新書.

京極純一（1983）.『日本の政治』. 東京大学出版会.

斎藤学（1984）.『嗜癖行動と家族』. 有斐閣.

斎藤学（1988）.「嗜癖」, 土居健郎編『異常心理学講座Ｖ』, みすず書房, pp. 73–129.

Watson, P. J., et al. (1995). Narcissism, Self-esteem, and Parental Nurturance. *Journal of Psychology, 129*, 61–73.

Roberts, J. E., et al. (1996). Adult Attachment Security and Symptoms of Depression: The mediating role of dysfunctional attitudes and low self-esteem. *Journal of Personality and Social Psychology, 70*, (2), 310–320.

2000年に発表した著作の80ページに書かれているということを示しています。また、(斎藤, 1984) は斎藤という人が1984年に著した著作からの引用であることを示しています。複数の文献を一度に紹介するときは (Roberts et al., 1996: Abela, 2002) のように、書誌情報の間をコロン (:) で区切って表記します。ただ、いずれの表記もあくまで引用先の最低限の手がかりを知らせるものですから、これだけでは情報として不完全です。

不完全な情報を補うためには、著者のフルネームや著作名、出版元などの詳細な情報を入れた文献リストをつける必要があります。読み手は、このリストと照らし合わせることで完全な書誌情報を得られることになります。このように、引用文のすぐ後に著者と出版年などの簡単な情報を入れ、詳細な引用・参考文献と照応させる方法を「著者年方式」と言います。

■ 脚注方式

論文のように長い文章では、著者年方式のほかに引用文に注釈番号を付け、その記述があるページの欄外に設けた注釈で詳細な書誌情報を入れるやり方もあります。これを「脚注方式」と言います。この場合も巻末に引用・参考文献リストをつけなくてはなりません。

【脚注方式による出典表示例】

テレビが高度経済成長に伴う大量生産・大量消費の時代を支えた。高度経済成長期は「テレビを中心にするマスメディアが人々のコミュニケーションを支配し、情報を全国規模で均質化していく時期」[1]と規定することもできる。

---

1 松原隆一郎 (2000).『消費資本主義のゆくえ—コンビニから見た日本経済』. 筑摩書房, ちくま新書. p. 80.

Abela, J. R. Z. (2002). Depressive Mood Reactions to Failure in the Achievement Domain: A test of the integration of the hopelessness and self-esteem theories of depression. *Cognitive Therapy and Research, 26,* (4), 531–552.

このほか、引用部分の末尾に脚注番号をつけ、文章の最後につける文献リストで番号順に書誌情報を明らかにする方法もあります。

■ 孫引きの落とし穴

学生のレポートでよく見受けられるのが、Ａという文献の中で引用された別のＢという文献の記述を引用する**「孫引き」**というケースです。そもそも引用とは、引用する側がある目的を持って行なう行為ですから、孫引きは最初の引用者（一次引用者）のフィルターを通したものでしかありません。となると、おおもとの文献（一次資料）の論旨や意味を取り違えている場合も十分に考えられます。自分の主張を補強するのに都合がいいからといって、一次資料が伝えようとしていることさえよく知ろうともしないで安易に孫引きに走ったら、このような落とし穴にはまりこむ恐れがあります。

また、安易な孫引きは、手間を惜しんだ結果とも受け取られかねません。特に日本語の文献に関して言えば、よほど貴重な古文書でない限り探し出せるはずです。少なくとも、探す努力、調べる努力は惜しむべきではありません。探し出し、調べて、理解できた喜びは何ものにも代えられません。また、そうした過程を通じて考える力を養うことこそ、大学においてレポートを書く意義でもあるわけですから、手間暇を惜しむことだけは避けたいものです。

孫引きが認められるのは、原著の入手が不可能な場合に限られます。どうしても、その部分の引用が必要な場合は、以下の２つの例文のように、それが孫引きであるということを文章の中で知らせる工夫が必要です。[1] 一次引用者による著作の書誌情報を示すとともに、孫引きした記述がある原著の書誌情報も脚注などで示します。

1　孫引き例１、２で使用した文献の書誌情報は以下の通りです。
苅谷剛彦（2014）.『教育の世紀―大衆教育社会の源流』. 筑摩書房，ちくま学芸文庫.

【孫引き例 1】

Hall (1901)[1] は青年期を人生の中で「もっとも危険で困難な時期」ととらえ、この時期の教育は「自由と興味関心に訴えるものでなくてはならない」として機械的なドリルなどの方法に異を唱えた（苅谷，2014, p. 247 を参照）。こうした考え方は……。

1 Hall, Stanley, G. (1901). The Ideal School as Based on Child Study, *The Forum, 32*, 24–39.

【孫引き例 2】

苅谷（2014, p. 247）によると、Hall（1901）[1] は青年期を人生の中で「もっとも危険で困難な時期」ととらえ、この時期の教育は「自由と興味関心に訴えるものでなくてはならない」として機械的なドリルなどの方法に異を唱えた。こうした考え方は……。

1 Hall, Stanley, G. (1901). The Ideal School as Based on Child Study, *The Forum, 32*, 24–39.

文献表記の方法

出典を明らかにするためには、引用した文献の詳細な情報を示さなくてはなりません。これにより、読み手は書き手の記述が間違いないかということを確認することができます。また、読み手に対して関連分野の資料の存在を伝えることになります。何よりも文章そのものの信頼性を高めることになります。

文献を表記するにあたって最低限必要な情報は、**著者名、著書名（あるいは論文名）、発表年、出版元**です。ただ、表記の方法はさまざまです。よく使われる表記法としては、アメリカ心理学会のAPA方式、アメリカ現代語学文学協会のMLA方式、それに科学技術情報流通技術基準（SIST）の「科学技術情報流通技術基準参照文献の書き方」、いわゆるSIST方式などがあります。いずれも提示すべき基本的な情報は変わりませんが、情報の並べ方や記号の使い方に細かい違いがあります。

たとえば、書籍を3つの方式に準拠して表記すると、以下のようになります。

〈APA 方式〉

木下是雄（1994）．『レポートの組み立て方』．筑摩書房，ちくま学芸文庫．

〈MLA 方式〉

木下是雄．『レポートの組み立て方』．筑摩書房，ちくま学芸文庫，1994．

〈SIST 方式〉

木下是雄．レポートの組み立て方．筑摩書房，1994，（ちくま学芸文庫）．

参考文献表記の書式は提出先によってまちまちです。レポートの場合は提出先の教員に問い合わせることをお勧めします。特段の指定がない場合、著者名、発表年、著書名、出版元の順番やコンマ、ピリオドなどの使い方など、細かいところまで書式を統一することが大切です。投稿論文等に関しては、投稿先によって厳密な決まりが設けられていますので、これも確認が必要です。

また、時代の変化などに応じて、表記法自体に変更が加えられることもあります。たとえば最近では、一部の方式は電子書籍を参照した場合にも対応しています。

以下、ケースごとに逐次説明を加えながら表記例を示します。本テキストではAPA方式に準じて以下の6項目の基準を設けて作成しました。参考文献リストを作成する際は、奥付の表記に従います。このテキストの巻末で提示した参考文献リストも同様の方式をとっています。

本テキストでの引用表記基準（APA 方式に準ずる）

① 表記の順番は、著者名、出版年（発表年）、著書名（論文名＋論文が掲載されている書籍・雑誌名）、出版元の順とする（出版年は初刷年を書き、出版元は参照した刷の時点での名称を書く）。

② 著者名は、日本人以外であっても姓名の順に書く。

例：アンソニー・ギデンズ →「ギデンズ，アンソニー」または「ギデンズ，A.」

例：Anthony Giddens → Giddens, Anthony または Giddens, A.

③ 参考文献が 2 行以上にまたがる場合は、2 行目以降を全角 2 文字分（英文は半角 4 文字分）字下げする。

④ コンマ（,）とピリオド（.）の使い方を統一する。

⑤ アルファベット、洋数字、記号は半角文字を使用する。

⑥ 文献のメインタイトルとサブタイトルの区切りは、日本語の場合はダッシュ（―）、英語などアルファベット表記の場合はコロン（:）で表す。

【書籍】

松原隆一郎（2000）.『消費資本主義のゆくえ―コンビニから見た日本経済』. 筑摩書房，ちくま新書.

> 出版元を書くべきところに「ちくま新書」や「岩波新書」といった表記がよく見受けられます。これらは出版物のシリーズ名です。まず出版元の「筑摩書房」「岩波書店」という表記が必要です。その上で、必要に応じてシリーズ名を入れます。

迫桂，徳永聡子（2012）.『英語論文の書き方入門』. 慶應義塾大学出版会.

大島弥生ほか（2005）.『ピアで学ぶ大学生の日本語表現―プロセス重視のレポート作成』. ひつじ書房.

> 著者や編者が複数いる場合は、文献に書いてある順に書きます。また、3人以上の場合は1人目の名前を書いた後、「ほか」という表現を使って続く著者名の表記を省略することもできます。

自由法曹団労働部会編（1988）.『「連合」路線の真相―労働者の権利闘争の

現場から』．学習の友社．

団体による編著の場合は、著者名の部分に団体名を書きます。

【翻訳書】

ダマシオ，A. R., 田中三彦訳（2000）．『生存する脳―心と脳と身体の神秘』．講談社．

マーラー，M. S. ほか，高橋雅士，織田正美，浜畑紀訳（1981）．『乳幼児の心理的誕生―母子共生と個体化』．黎明書房．

マーラー，M. S. ほか，高橋雅士ほか訳（1981）．『乳幼児の心理的誕生―母子共生と個体化』．黎明書房．

カーンバーグ，O., 前田重治監訳（1983）．『対象関係論とその臨床』，現代精神分析双書，第２期第10巻．岩崎学術出版社．

監訳者がいる場合は、翻訳者が複数いても監訳者のみの姓名を記すだけでかまいません。

【論文集】

遠藤優子（2001）．「臨床から見た共依存・アダルトチルドレン問題」，清水新二編『共依存とアディクション―心理・家族・社会』．培風館，pp. 85–126.

複数の著者の論文を集めて編集された論文集の中から、必要な論文を参考文献として示す場合、論文名を「　」でくくって提示します。『　』内はその論文集の書籍名や雑誌名、末尾のpp. 85-126は、当該論文がある場所（ページ）を表しています。

長濱文与，安永悟ほか（2009）．「協同作業認識尺度の開発」，『教育心理研究』．57, 1, pp. 24–37.

雑誌名『教育心理学』の後ろの57, 1, pp. 24-37は、第57巻1号の24ページから37ページまでという意味です。

【新聞記事】

熊本日日新聞，「社説」，2013年12月13日付朝刊，３（2）．

末尾の 3(2)は、第 3 版の 2 面に掲載されているということを意味します。

恩地日出夫(2013).「ぼくの戦後」.『熊本日日新聞』, 2013 年 12 月 17 日付夕刊, 3（5）.

筆者名がわかる場合は、題名を「　」で、新聞名を『　』でくくります。

【英語書籍】

Jacobson, E. (1964). *The Self and the Object World*. New York: International Universities Press.

Clarkin,J. F., Yeomans, F. E. & Kernberg, O. F. (2006). *Psychotherapy for Borderline Personality: Focusing on object relations*. Washington D. C.: American Psychiatric Publishing.

書籍名はイタリック体（斜体字）で表記し、ピリオド（.）でいったん止めます。出版社名（末尾の American Psychiatric Publishing）の前の Washington D. C. は出版社の所在地です。

【英語論文集】

Cloninger, C. R. (1987). A Systematic Method for Clinical Description and Classification of Personality Variants. *Archives of General Psychiatry, 44*, 573–588.

発表年の後は論文名、論文雑誌名、雑誌の号数の順。論文雑誌名と号数はイタリック体（斜体字）で表記します。末尾の 573-588 は、当該論文が掲載されている場所（ページ）を表しています。

インターネットからの引用

インターネットの普及により、ネット上の記述を引用するケースがよく見られるようになりました。インターネットからの引用も、他の参考文献同様に書誌情報を明らかにしなくてはなりません。インターネットの利点は、キー操作一つで居ながらにしてさまざまな情報に触れられるということです。最近では政府刊行物や学術論文なども簡単に閲覧できるようになっています。また、電子書籍の拡大で、電子版のみの論文集や学術書も登場しつつあります。

そこで注意しなくてはならないのは、あなたが触れる情報がはたして信頼できるものであるか、ということです。ネット上には誰でもどんな情報でも流すことができます。このため、信頼性や客観性を欠いた情報も相当数あると考えなくてはなりません。むしろ、そちらの方が多いのではないでしょうか。

ところが、学生から提出されるレポートや論文の中には、なんら根拠のないネット上の情報をもとに書かれたものが少なくありません。中には、ネット上の記述をそのままコピー・アンド・ペーストしてつなぎ合わせるという非常に悪質なものまであります。パソコン操作の簡便さがあだとなってか、このような剽窃行為をした人たちの側に罪の意識が希薄なのも困ったことです。

とはいえ、ネット上の情報をすべて使ってはならないということではありません。もし、あなたがネット上の情報を使うなら、それが信頼のおけるものであるかどうか吟味すべきです。そして、ほかの参考文献同様に書誌情報を明らかにしなくてはなりません。

ネット情報の表記では、**筆者・編者名、書かれた年、タイトル、サイト名、URL** といった基本情報に加え、**閲覧した日付**も入れましょう。ネット上のページは頻繁に入れ替わり、場合によっては削除されることも多々あるからです。したがって、ネット上の文献を使う場合はプリントアウトするなどして保存し閲覧日を記録しておくことも必要です。

【ネット文献表記例】

厚生労働省（2011）.「平成23年国民生活基礎調査の概況」,『厚生労働省ホームページ』. <http://www.mhlw.go.jp/toukei/saikin/hw/k-tyosa/k-tyosa11/index.html> 2013年12月18日閲覧.

渡辺真由子（2013）.「『新』いじめ対策法に向けて―いじめ自殺遺族への15年取材から」,『MAYUMEDIA』. <http://mediaw.cocolog-nifty.com/

blog/2013/07/15-9903.html> 2013 年 12 月 1 日閲覧.

インターネットには、筆者（編者）やサイトの運営者がわからない情報が数多くあります。そうした情報は信頼性という点で問題がありますから使用することは控えましょう。インターネット情報を使う場合は、信頼できる情報源から流されたものであるかどうかということをきちんと見極めることが大切です。

第8章

要約して取り込む

引用についてもう少し説明します。他人のアイデアを引用として自分の文章に取り込む場合、「要約」という作業が必要になることもあります。要約とは、文章の要点を簡潔に取りまとめる作業、あるいは取りまとめた文章のことを言います。簡潔かつわかりやすさを目指しますが、単なる要点の抜き書きではありません。必要に応じて別の言葉で言い換えたり、接続表現等を補ったりして論理的な流れを整えていきます。ただし、元の文意を変えることがないように気をつけましょう。第8章では、実例を交えながら要約の作業手順をたどった後、どのように自分の文章に取り入れるかということについても説明します。

要約するということ

要約とは

要約とは、文章の大切なところ（要点）を取りまとめて簡潔に表現すること、あるいは、その取りまとめたことばや文章のことを言います。要約と言えば、真っ先に国語や小論文の試験が思い浮かぶのではないでしょうか。それもあってか、「要約は苦手だ」という人は少なくありません。中には「受験勉強から解放されたというのに、いまさら要約なんて」と、拒絶反応を示す人だっているかもしれません。就職試験等は別として、確かに大学では（たぶん社会生活を送る上でも）「次の文章を150字以内で要約しなさい」といった指示を受けることは、まずありません。ですから、「いまさら要約なんて」という声も理解できないわけではありません。

では、私たちはどのように要約と向き合ったらいいのでしょう。文章作成において要約する力が求められるのは、自分の文章に他人の意見やアイデアを取り込もうとする場合、つまり文献・資料等を**「引用」**する場合においてです。引用のあらましについては、第7章で紹介しました。その際、引用には**「直接引用」**と**「間接引用」**があり、間接引用は**「要約引用」**とも呼ばれると説明しました。本章ではさらに踏み込んで、要約の手順やコツ、文章への自然な取り込み方について説明します。

要約の３つの作業

一口に要約といっても、目的によって要約する範囲、分量はまちまちです。引用する書籍や論文全体を簡潔にまとめることもありますし、複数のページあるいは複数行といった比較的狭い範囲をまとめることもあります。要約文の分量や記述の仕方も、執筆する文章の目的やスタイルに応じて変わってきます。

ただ、どのような範囲あるいは分量であっても、基本となる共通の作業はあります。それが次の３つの作業です。

要約の３つの作業

① 主張を押さえる
② 意味のかたまりに区分けする
③ 文章を整える

なお、① ②は同時並行で行なっていきます。

主張を押さえる

一番言いたいことは何？

文献・資料を読み進めるにあたって、最低限意識したいのは、「この文章は何について書かれているのか」「どのように論を展開しているか」「筆者が言いたいこと（主張）は何か」という３つの問いです。

まずは、「読書について書かれた記述」とか「ゆるキャラについて書かれた文章」といった具合に、文章全体を大まかに把握することから出発します。そして、「読書でなければ得られないもの」とか「くまモン戦略が他の自治体に与えたインパクト」というように、頭の中で内容を具体的にイメージできるようになるまで絞り込みます。

よく言われる**起承転結型**は、本来は漢詩の構成のことですが、前提となる背景や状況を設定し**（起）**→「起」を受けて内容へと導入する**（承）**→視点を転換する**（転）**→「起」「承」「転」を受けてまとめる**（結）**、という流れをとると理解できます。したがって、主張は終盤の「結」の部分に見出すことができます。

一方、このテキストで取り上げている**序論・本論・結論型**の文章には、主張が最初の序論部分にくる場合と結論部分にくる場合の２通りあります。すなわち、最初に主張を提示してその根拠を示す形と、根拠を積み上げ主張に至る形です。いずれにしても、ある事柄についてのまとまった文章では、主張は文章の終わりか最初の部分に書かれていることがほとんどです。

パラグラフや段落単位で考える場合も、核となる記述は最初か最後の部分に置かれる傾向があります。このことを頭に入れて読み進めば、比較的容易に筆者が言いたいであろうと思われる箇所にあたりをつけることができます。

キーワードを抜き出す

まとまった文章の場合、主張に行きつくまでにはいくつかの重要な記述があります。これが**要点**です。文章の流れに沿って主張と要点を積み重ねたものが要約ということになります。

要点をまとめる作業は、重要と思われる語句（キーワードやキーフレーズ）あるいは文をたどりながら進めます。気になる箇所に線を引いてもいいし、メモにしてもかまいません。相関図をつくるという方法もあります。自分に合ったやり方で進めてください。

キーワードやキーフレーズを抜き出すことにより、「何について書かれているのか」という問いを絞ることができます。さらには、「どのように論を展開しているか」という気づきにも発展します。そして、抽出したキーワードやキーフレーズを使って文章を簡潔に再構成することで要約文はできあがっていきます。

接続表現と言い換え

要点を整理する作業においては、しばしば接続表現が指標の役割を果たします。中でも、「しかし」「だが」等に代表される**逆接**の接続表現は要注意です。この表現を使うことにより、文章はこれまでの展開とは逆方向へと大きく舵を切ることになります。前の文に比べ重要度は高くなる傾向があります。

「いわば」「言い換えれば」「要するに」といった**言い換え**を表す接続表現は、前あるいは後にくる具体的な記述に対する理解を深めてもらうために別のことばに置き換えて説明を試みる際に使われます。この場合、抽象度は高くなりますし、重要度も増してきます。例えば、ひとつあるいは複数の具体例の記述がある時、多くの場合はその前後にこれらの例を簡単にまとめた記述があります。また前後いずれかにそれらの具体例を簡潔に総括した抽象度の高い文がしばしば見られます。

具体例を総括する文がない場合、自分のことばに言い換えて総括することで、より簡潔な要約文ができあがってきます。

意味のかたまりに区分けする

形式段落と意味段落

主張や要点をたどりながらの読み込み作業と並行して、意味のかたまりごとに文章を区分けしましょう。日本語の文章は、改行と最初の行の頭を1字分空けた文章のかたまりがひとつ、あるいは複数集まって構成されることがほとんどです。このひとつのかたまりが**「段落」**です。本書では、特別な断りがない限り**「パラグラフ」**（第5章参照）という語を使い、厳密な意味での段落と区別していますが、この場合は「段落」という語で説明した方がわかりやすそうです。

段落には**「形式段落」**と**「意味段落」**の2種類があります（第5章パラグラフ・ライティング参照）。形式段落とは、改行と行頭の1文字空けによって示されるひとかたまりの文章です。私たちが「段落」という時、多くの場合はこのかたまりを指します。明確なルールはなく、時には筆者の感性にまかせた作り方もなされます。一方、意味段落は、文字通り意味のあるひとまとまりの文章のかたまりを言います。ひとつの形式段落の場合もありますが、多くの場合いくつかの形式段落が集まって意味のかたまりを形成しています。

「意味のかたまりに区分けする」というのは、意味段落ごとに分けるということです。意味段落ごとに考えることで、文章全体を俯瞰的に考えることができ、大きな流れを容易にとらえることができるようになります。

中心となる記述を押さえる

意味段落の中には、必ず中心となる記述があります。これは、第5章で説明したパラグラフの主題文に相当するものです。この中心となる記述単独、あるいは周辺のキーワード、キーフレーズを取り込みながら、意味段落ごとに「要点」をまとめていきます。その場合、接続表現や言い換え等に注意を払うことは言うまでもありません。

なお、意味段落による区分け作業が難しいという人には、形式段落ごとにその段落の柱となる記述やキーワードを抜き出す作業をおすすめします。要は**文章をパーツごとに分析し、大きな流れを押さえる**という意識を持つことです。

文章を整える

要約作業の最終段階では、集めた要点を使って読みやすいように文章化します。キーワードやキーフレーズ等で論理の隙間を補っていきます。

自然な流れの要約文をつくるためには、

① 接続表現等を加え、前後の論理的関係を明確にする
② 文体、用語を統一し、表現の重複を解消する
③ 回りくどい表現などは別の表現に言い換え、より簡潔にする

といった“加工”を施します。この場合、内容の順序を大きく入れ替えないようにしてください。

要約文が完成したら読み返し、対象となる元の文章の文意を変えることなく筋が通った文章になっているかを必ず確認しましょう。

要約してみよう

これまで説明してきた要約の手順を参考にしながら、実際に次の文章を要約してみましょう。なお、説明の都合上、意味のかたまりの頭には1) ～ 4)、形式段落の頭には①～⑨の数字を割り振っています。

1）①「近ごろの若者たちは本を読まなくなった」と指摘されることがよくあります。たしかに、テレビを見る時間やマンガを読む時間に比べて、今の若者たちが活字に向かう時間が短くなっていることは事実でしょう。しかし、「近ごろの若者たちは本を読まなくなった」という指摘自体、すでにいい古された「常識」の一部になっています。「本当にそうだ」と納得してしまわないで、少しばかりこの常識について考えてみましょう。

② なぜ大人たちは、若者が本を読まなくなったことを嘆くのか。そう考えると、本を読まなくなったことで失われた、何か大切なものがあるという「前提」が、こうした判断には含まれていることがわかるでしょう。「本を読まなくなると、どんな悪いことがあるのか」「何が失われるのか」。そこまで考えたうえで、このいい古された指摘に納得して、「なるほどその通りだ」と思うか。それとも、そこまで考えずに「そんなものだろう」といってすませてしまうか。考えることを身につけようとするのであれば、こうした常識に簡単に飲み込まれては困ります。

2）③「本を読まなくなって失われるものは何か」。この問いをもう少し展開して、「本を通じて得られるもの」と「本でなければ得られないものは何か」を考えてみましょう。もし本でなければ得られないものが少なければ、本を読まなくなったといって非難されることはなくなるはずです。さあ、あなたなら、どんな答えを思いつきますか。

④ 以下は私の答え。たとえば、本を通じて得られるものは、知識、情報、教養、楽しみ、興奮、感動など。それでは、これらのうち、「本でなければ得られないものは？」と考えると、何が残るでしょうか。今や電子メディアの普及で、たいていの知識や情報は、本でなくても手に入るようになりました。活字メディアよりも数段早く、しかも手軽にさまざまな情報を手に入れることができる時代になったのです。

⑤ 楽しみや感動、興奮にしても、映像・音響メディアの発達から、本でなくても深い感動や楽しみを得ることはできます。むしろ、こうしたものは、発達したAV機器によって本よりも迫力をもって伝えられる時代になりました。原作の本を手に活字を目で追っていくよりも、大画面の大音響のもとで映画化された作品を見るほうが、興奮も感動もずっと大きくなる可能性だってあります。

⑥ それでは「教養」はどうか。たしかに、テレビを見ても、コンピュータから得た情報によっても、あるいは講演会や大学の講義などを通じても、「知識」を得ることはできます。「教養」をたんに知識として見れば、なるほど活字メディアでなくもよさそうです。

3） ⑦ それでも本でなければ得られないものは何か。それは、知識の獲得の過程を通じて、じっくり考える機会を得ることにある──つまり、考える力を養うための情報や知識との格闘の時間を与えてくれるということだと私は思います。

⑧ 他メディアとは異なり、本をはじめとする紙に書かれた活字メディアでは、受け手のペースに合わせて、メッセージを追っていくことができます。たとえば、今この本を手にしている皆さんは、めんどうくさいやと、一足飛びに別の章を開いたりすることも、斜め読みをして、「もういいや」とこの本を投げ出してしまうこともできます（中略）。あるいは、これまで読んできたところを、もう一度読み返して、この著者がこれから何を言おうとしているのか、予想を立てることもできるでしょう。活字メディアの場合、読み手が自分のペースで、文章を行ったり来たりしながら、「行間を読んだり」「論の進め方をたどったり」することができるのです。いい換えれば、他のメディアに比べて、時間のかけかたが自由であるということです。

4） ⑨ 文章を行ったり来たりできることは、立ち止まってじっくり考える余裕を与えてくれることでもあります。もっともらしいせりふに出会っても、話しているときのように「そんなものかな」と思って十分吟味もせずに納得してしまわない。本の場合、そうしたもっ

> ともらしさ自体を疑ってかかる余裕が与えられるということです。つまり、ありきたりの「常識」に飲み込まれないための複眼思考を身につけるうえで、こうした活字メディアとの格闘は格好のトレーニングの場となるのです。
>
> （苅谷剛彦『知的複眼思考法―誰でも持っている想像力のスイッチ』, 講談社 , pp. 68-72, 2002）

この文章は、「読書の効能」についての見解を述べたもので、9つの形式段落で成り立っています。これを、以下の4つの意味のかたまりに分け、それぞれのかたまりの主な内容をメモ風に記してみました。

1）「近ごろの若者たちは本を読まなくなった」という“常識”への疑義＝導入部分＝形式段落 ① ②
2）「本を通じて得られるもの」についての個別考察（多くの場合、活字メディアでなくても事足りる）＝形式段落 ③ ④ ⑤ ⑥
3）「本でなければ得られないもの」は「時間」である＝形式段落 ⑦ ⑧
4）本との格闘が意味するもの＝主張＝形式段落 ⑨

それぞれの意味のかたまりの中で、核となりそうな記述には下線＝、補足も含めたキーワードやキーフレーズには下線―を付してみました。キーワード、キーフレーズはもっと多かったり、逆に少なかったりしても問題はありません。また、指示語や接続表現など、論理展開の指標となりそうなことばには網かけをしています。

それぞれの意味段落の要点を文としてまとめてみました。

1）「近ごろの若者たちは本を読まなくなった」という指摘には、本を読まなくなったことで失われた、何か大切なものがあるという「前提」が含まれている。
2）「本を通じて得られるもの」とされる知識、情報、教養、楽しみ、興奮、感動などは電子メディア、映像･音響メディアなどでも得られ、「本でなければ得られないもの」ではなさそうだ。
3）「本でなければ得られないもの」は、考える力を養うための情報や知識との格闘の時間である。

4）ありきたりの「常識」に飲み込まれないための複眼思考を身につけるうえで、こうした活字メディアとの格闘は格好のトレーニングの場となる。

この文章の主張の実質ともいえるのは、最後の4）の記述です。単純に要点をつなぐと、以下のようになります。

「近ごろの若者たちは本を読まなくなった」という指摘には、本を読まなくなったことで失われた、何か大切なものがあるという「前提」が含まれている。「本を通じて得られるもの」とされる知識、情報、教養、楽しみ、興奮、感動などは電子メディア、映像・音響メディアなどでも得られ、「本でなければ得られないもの」ではなさそうだ。本でなければ得られないものは、考える力を養うための情報や知識との格闘の時間である。ありきたりの「常識」に飲み込まれないための複眼思考を身につけるうえで、こうした活字メディアとの格闘は格好のトレーニングの場となる。（261字）

さらに整理して短くすることも可能です。

本を通じて得られるとされる知識、情報、教養などは、他のメディアでも得ることができる。「本でなければ得られないもの」は、自分のペースで情報や知識と格闘する時間である。本をはじめとした活字メディアとの格闘は、ありきたりの「常識」に飲み込まれないための複眼思考を身につけるうえで、格好のトレーニングの場となる。（152字）

引用として取り込む

前節で示した要約例は、いずれも受験勉強の延長のようなものです。大切なのは、この要約文をどう自分の文章に取り入れるかということです。目的に応じて要約文の形も変化します。そこで、前節の引用例をさらに変化させた引用への取り込み方の実例をいくつか紹介しましょう。

■ 要約文を丸々取り込む

単純に要約文を文章の中に入れ込む書き方です。より簡潔にして取り込むことを心掛けましょう。

【引用例 1】

読書の効能について、苅谷は概略以下のように記述している。大人が「近頃の若者たちは本を読まなくなった」と嘆くのは、「本でなければ得られないもの」があるからだ。それは、情報や知識と格闘する時間である。本をはじめとした活字メディアとの格闘は、ありきたりの「常識」に飲み込まれないための複眼思考を身につけるうえで、格好のトレーニングの場となる（苅谷 , 2002, pp. 68-72）。

■ 地の文と一体化させる

回りくどい部分を簡潔な表現に言い換えます。同時にこの記述が他人のアイデアであることがわかる書き方が求められます。

【引用例 2】

苅谷は、「本を通じて得られるもの」とされる知識、情報、教養など多くのものが必ずしも本などの活字メディア固有のものではないとする一方で、なおかつ「本でなければ得られないもの」は情報や知識と格闘する時間であると説く（苅谷 , 2002, pp. 68-72）。

論文やレポートでは「苅谷は」という主語を入れずに引用するケースも多く見られます。

【引用例 3】

読書が与えてくれるのは、自分のペースで知識や情報と格闘する時間である（苅谷 2002, pp. 70-71）。

【引用例 4】

電子メディアや音響・映像メディアの発達で、「本を通じて得られるもの」とされていた知識、情報、教養などさまざまなものが、本をはじめとした活字メディア固有のものではなくなっている（苅谷 , 2002, pp. 69-70)。

第9章

レポートを仕上げる

レポートを書き上げたら必ず読み返し、不備な個所を手直しします。これを「推敲」と言います。推敲作業では、誤字・脱字やおかしな表現はないか、余計な情報は入っていないか、文はつながっているかなど、チェック項目は多岐にわたります。その際に大切なのは、「読み手の視点で読み返す」ということです。視点を切り替えて読み返すことで、さまざまな不備が見えてきます。場合によっては、構成そのものを変更しなくてはならないということも起きてくるでしょう。レポートが人に読まれる文章である以上、手間をかけるのは当然です。書き上げた後にあらためて向き合うことで、あなたのレポートはより完成度の高いものとなります。

執筆の基本ルール

手書きであろうとパソコンを使おうと、日本語の文章を作成するにあたってこれだけは守ってほしいという約束事があります。主な約束事を右のページにいくつか示します。これらは文章構成や表現以前のものばかりです。中には、「何をいまさら」と思われるような項目もあるでしょう。しかし、意外と守られていないことが少なくありませんので、もう一度確認する意味で目を通してください。

右に挙げた項目以外の注意点として、指定された字数や体裁を守らなくてはならないということは言うまでもありません。たとえば、2000字程度と字数が指定されているのに極端に字数が足りなかったり、逆に大幅にオーバーしたりしたレポートなどは論外です。また、レポートの冒頭にタイトルや筆者名（所属も含む）を入れることも、最低限のルールです。タイトルや名前が抜けていたのでは、せっかくの苦労も報われないということにもなります。

ところで、学生が書いたレポートでは、パラグラフとパラグラフの間に空白を入れるケースをよく目にします。これは、メールの文章でよく見られる書き方でもあります。書き手としては、少しでも見やすくしようという心配りが働いているのかもしれません。しかし、レポートではそこに意味がない限り、このような空白をつくることは避けたいものです。むしろ、きちんとしたパラグラフを並べることで読ませる工夫をすることの方が大切です。

文章作成の基本ルール

① パラグラフの最初の文の行頭は1字分空ける。

② 句読点のほか、（ ）「 」〈 〉などの囲み符号の後ろの閉じる部分 ） 」 〉を行の頭に置かない。

③ 囲み符号の前の開く部分 （ 「 〈 などを行の最後に置かない。

④ 縦書きの場合、句点と読点の組み合わせは 。 と 、 に統一する。

⑤ 横書きの場合、句点と読点の組み合わせは以下のいずれかの組み合わせパターンに統一する（ちなみに本テキストはパターン1を採用しています）。

パターン	句点	読点
パターン1	。（句点）	、（読点）
パターン2	。（句点）	，（コンマ）
パターン3	．（ピリオド）	，（コンマ）

表8.1　横書きでの句読点組み合わせ

⑥「 」や（ ）内の最後に来る文の末尾に句点は入れない。[1]

例：彼は「大丈夫だよ。明日は晴れだよ」と言って笑った。

⑦「 」の中でさらに「 」を使用する場合、2番目の「 」は『 』を使う。このほか、『 』は著書名を提示する場合にも使用する。

例：この著書には「陸上競技は昔も今もオリンピックの『花形競技』の一つである」と記されている。

⑧ レポートや論文で、「ですます」調は原則として使わない（「である」調に統一）。

⑨ アルファベットや洋数字は半角文字を使用する。原稿用紙を使う場合は1マスに2文字入れる。

⑩ レポートや論文では、原則として感嘆符（!）や疑問符（?）は使わない。

1　下線部の末尾に句点を入れるかどうかということは、意見が分かれるところです。しかし、句点を入れた場合、いったん文が切れた印象を受けることから、本テキストではあえてこのルールを採用しました。

原稿を読み返す

完成への最終関門「推敲」

文章を書き終えた直後の達成感は何ものにも代えられないものです。苦労の度合いが大きいほど、得られる達成感も増します。一方で、完成した文章が読み手にとってわかりにくいものであったら、それは自己満足にしかすぎません。自分自身が納得し、読み手も満足できる文章に仕上げるために、もうひと手間をかける必要があります。

レポートがひと通り完成したら、必ず読み返しましょう。**完成したレポートを読み返し、不備な個所を修正する作業**を**「推敲」**と言います。誤字・脱字はもちろん、おかしい表現はないか、議論の内容は主張からずれていないか、結論で序論と違ったことを書いていないかなど、チェックする項目は多岐にわたります。人によっては推敲に推敲を重ね、必要なら大幅に書き直すことだってあります。実際にやってみると、思った以上に注意力と忍耐力を要する作業です。しかし、完成度の高いレポートに仕上げるためには、避けて通れない最終関門でもあります。

読み手になって読む

推敲をする際の基本的な心構えは、自らを読み手の立場に置くということです。レポートや論文が人に読まれる文章であるということを考えれば、当然です。文章の不備が原因で読んでもらえなければ、これまでの苦労は何の意味も持たなくなります。これまで8章を費やしてきた文章作成に関するさまざまな説明も、すべては「読み手にとって読みやすく理解しやすいレポートを書く」という目的の下になされたものなのです。

表9に示したのは、レポートの推敲にあたっての主なチェック項目です。これらは、すべてこれまでに説明してきた項目ですので、おさらいの意味も含めて目を通して下さい。

※チェック項目の（　）内数字は関連する章

大項目	チェック項目
基本ルール	指定された字数を守っている (9)
	指定された体裁を守っている (9)
	誤字・脱字がない (9)
	書き方の基本的な約束事を守っている (9)
構成（論理性）	テーマが絞り込まれている (3)
	内容がわかるタイトルになっている (1)
	序論・本論・結論の構成となっている (1, 4)
	序論で主張が示されている (1, 4, 6)
	主張の要件を満たしている (3)
	理由と根拠によって本論を組み立てている (1, 4, 8)
	客観的な素材で根拠を示している (1, 8)
	主張が最後まで一貫している (1, 6)
	結論でこれまでの議論をまとめている (1, 6)
パラグラフ	パラグラフを設定している (5)
	「1パラグラフ1トピック」のルールを守っている (5)
	主題文を支持文が支えている (5)
	パラグラフ内の文同士に意味のあるつながりがある (5)
	パラグラフ同士に意味のあるつながりがある (5)
文	一文一義を守っている (2)
	主語と述語の関係が適切である (2)
	読点の使い方や語順が適切である (2)
	より具体的な記述となっている (2)
	適切な接続表現で結ばれている (2)
	指示語の使い方が適切である (2)
出典表記	文章中で出典を示している (7, 8)
	出典を適切に表記している (7)
	巻末に参考文献リストをつけている (1, 7)
	参考文献の表記法を統一している (7)

表9　レポート最終チェック表

理解を助ける文章のリズム

わかりやすいなと感じるレポートには一定のリズムがあります。このことは、声に出して読んでみるとよくわかります。無駄な表現がなく、文と文、パラグラフとパラグラフが無理なくつながっているからです。このため、読み手は余計なストレスを感じずに文章を読み進めることができます。

逆に、読んでいて苦痛を感じるレポートでは、しばしば理解の流れに停滞が生じます。その原因としては、

ⓐ 無駄な表現や情報が多すぎる
ⓑ 不必要に引きのばした文が思考を混乱させている
ⓒ 文脈と関係のない記述が入っている

といったことが考えられます。書き手の都合に読み手が引きずり回されるといったイメージです。結果として読むリズムはあちこちで寸断され、せっかくの情報も頭に入りにくくなっているのです。

書き上げたレポートを読み返すということは、文章のリズムの悪さを見つけ出す作業でもあります。頭に入りにくい個所に行き当たったら、何かがおかしいと考えるべきでしょう。それは、表現のダブりや読点の位置のまずさ、誤った接続表現の使用といった軽微なものに由来しているのかもしれませんし、もしかしたら構成そのものから大手術をほどこさなくてはならないということもあるでしょう。いずれにしても、読んでいておかしいなと感じる個所を発見し手直しするということは、書き手がそれだけ自らのレポートに向き合った証しでもあるわけです。

頭を切り替える

原稿を“熟成”させる

推敲をするにあたっては、これまでの脳の思考パターンをいったん打ち切り、別の視点に切り替えることが大切です。その際に読み手の立場に立って

文章を読み返すということも、脳の思考パターンを切り替えるということにほかなりません。とはいえ、書き手から読み手へと立場を変えるというのは、やってみるとなかなかに至難の業であることに気がつきます。特に原稿を書き上げた直後というのは脳が疲れている上、どうしてもこれまでの思考パターンに引きずられがちになりますから簡単ではありません。

スムーズに視点を切り替えるためには、書き上げた後、一晩なり一日なり時間を置いて読み返すことをお勧めします。執筆で疲れた脳を休め、リセットするためです。時間を置くことでこれまで気づかなかったことが見えてきたという経験は、誰にでもあるはずです。特に、頭の中の思い込みは、時間とともに薄れてくるものです。脳をリフレッシュすることで新しいアイデアがひらめくこともあります。さらに、文章の矛盾点や流れのおかしさなども見えてきます。あえて時間を置くということは、原稿を熟成させるということでもあるわけです。

■ 人の目にさらす

視点を切り替えるという作業は、一人でやらなくてはならないというものではありません。人の頭を借りるというのも立派な視点の切り替えです。あなたの学習を応援してくれている人ならば、家族でも友人でも誰だってかまいません。**書き上げた原稿を思い切って読んでもらいましょう。**文章の不備を指摘してくれるだけでなく、思いもかけない新鮮な視点を与えてくれることもあるはずです。

実は、このテキストの原稿も、ひと通り書き上げた後やアドバイスを入れて加筆・修正をした後には必ず人に読んでもらっています。そして、なんらかの指摘をもらうたびにその個所を中心に再検討してきました。これによって、章の順番を入れ替えることもありましたし、1章丸ごと書き換えたこともありました。すべては、「どのように書いていけばすんなりと読んでもらえるだろうか」ということを意識してのものです。推敲を重ねる中で、最終的には当初の原稿とは似ても似つかないものとなりました。

この章の冒頭でも触れたように、推敲という作業は注意力と忍耐力を要する作業です。しかしながら、推敲作業がなければ人に読んでもらう文章はできません。このテキストを最後まで興味を持って読んでいただけたとしたら、それは、さまざまな視点で細部に至るまでチェックし、筆者の思い込みをただしてくれた先生方や学生の皆さんの力に負うところが大きいと言うことができます。

文章作成に役立つ資料集（参考文献）

レポートや論文の書き方をもっと学びたい人に

井下千以子（2013).『思考を鍛えるレポート・論文作成法』. 慶應義塾大学出版会.

小笠原喜康（2018).『最新版大学生のためのレポート・論文術』. 講談社, 講談社現代新書.

木下是雄（1981).『理科系の作文技術』. 中央公論新社, 中公新書.

木下是雄（1994).『レポートの組み立て方』. 筑摩書房, ちくま学芸文庫.

佐渡島紗織, 吉野亜矢子（2008).『これから研究を書くひとのためのガイドブック―ライティングの挑戦 15 週間』. ひつじ書房.

杉浦克己（2007).『日本語表現法』. 放送大学教育振興会.

戸田山和久（2015).『新版論文の教室―レポートから卒論まで』. 日本放送出版協会, NHK ブックス.

二通信子, 大島弥生, 佐藤勢紀子, 因京子, 山本富美子（2009).『留学生と日本人学生のためのレポート・論文表現ハンドブック』. 東京大学出版会.

渡邊淳子（2014).『レポート作成の基本―アカデミック・ライティングへの誘い』. 放送大学.

本格的な論文に挑みたい人に

アメリカ心理学会, 江藤裕之, 前田樹海, 田中建彦訳（2004).『APA 論文作成マニュアル』. 医学書院.

ジバルディ, J., 原田敬一監修, 樋口昌幸訳編（2005).『MLA 英語論文の手引　第 6 版』. 北星堂書店.

伝わる文章の書き方を身につけたい人に

飯間浩明(2008).『非論理的な人のための論理的な文章の書き方入門』. ディスカヴァー・トゥエンティワン.

倉島保美（2012）.『論理が伝わる世界標準の「書く技術」－「パラグラフ・ライティング」入門』. 講談社，ブルーバックス.
篠田義明（1986）.『コミュニケーション技術』. 中央公論新社，中公新書.
藤沢晃治（2004）.『「分かりやすい文章」の技術―読み手を説得する 18 のテクニック』. 講談社，ブルーバックス.
安田正，上原千友（2008）.『誰でも論理的に書けるロジカル・ライティング』. 日本実業出版社.

日本語の文章に興味がある人に

石黒圭（2008）.『文章は接続詞で決まる』. 光文社，光文社新書.
井上ひさしほか，文学の蔵編（2002）.『井上ひさしと 141 人の仲間たちの作文教室』. 新潮社，新潮文庫.
岩淵悦太郎（1979）.『悪文　第 3 版』. 日本評論社.
大野晋（1999）.『日本語練習帳』. 岩波書店，岩波新書.
本多勝一（1982）.『日本語の作文技術』. 朝日新聞出版，朝日文庫.

発想法を学びたい人に

岩崎美紀子（2008）.『「知」の方法論―論文トレーニング』. 岩波書店.
小野田博一（2006）.『13 歳からの論理ノート―「考える」ための 55 のレッスン』. PHP エディターズ・グループ.
川喜田二郎（1967）.『発想法―創造性開発のために』. 中央公論新社，中公新書.
ナスト，J.，古賀祥子訳（2008）.『アイデアマップ―脳をフル稼働させるマインドマップの新メソッド』. 阪急コミュニケーションズ.
ミント，B.，山﨑康司訳（1999）.『新版考える技術・書く技術―問題解決力を伸ばすピラミッド原則』. ダイヤモンド社.

引用の方法を詳しく知りたい人に

科学技術振興機構編（2011）.『参考文献の役割と書き方―科学技術情報流通技術基準（SIST）の活用』. 科学技術振興機構.
佐渡島紗織，オリベイラ，D.，嶼田大海，デルグレゴ，N.（2020）.『レポート・論文をさらによくする「引用」ガイド』. 大修館書店.

おわりに

本書は、学生たちを相手に試行錯誤する中から生まれました。私が指導拠点としている熊本保健科学大学アカデミックスキル支援センター（ASSC）を訪れるのは、「書くことが苦手」という学生ばかりです。これらの学生を数人のグループに分け、テーマの絞り込みから主題の決定、アウトライン作成まで協同であたらせるというのがASSCの一貫した指導方針です。本書で紹介した文章作成の手順や考え方などは、すべて教材として学生たちに提供し、効果を検証したものばかりです。

ASSCではよほどのことがない限り添削をしません。というのも、完成された文章にどれだけ手を入れても、ほとんどの学生は機械的に書き直すだけで、その意味を考えようとしないからです。すでに書くことにエネルギーを使いつくしているわけですから、当然のことかもしれません。ならば、執筆前の段階から目配りし、「書く」という行為全体に寄り添う必要があります。このため、指導の前段として徹底した文献購読とグループディスカッションをさせます。これらの作業を通じて得た気づきはスキル定着の原動力となりますし、学生は指導の過程から多くの力を身につけていきます。

そのうちの１つが考える力です。もちろん、文章を仕上げるまでにはあれこれ頭をひねっているわけですから、学生が何も考えていないということはありません。しかし、ここで言う「考える力」とは、論理的に考える力のことです。それは、これまで経験してこなかった頭の使い方ではないでしょうか。学生たちには「知識の再構築」と言っています。

知識の再構築とは、集めてきた知識を、伝えるという目的のために加工し組み立て直すことです。料理にたとえるなら、集めた知識という材料を単純に頭の冷蔵庫から取り出して並べるだけでなく、煮炊きし、味付けし、オリジナル料理に仕上げるようなものです。学生は冷蔵庫にたくさんの食材を集めたり、丸ごと出したりすることには長けています。ならば、集めた材料で何をつくるか、そのためには材料をどう調理するかということを考えさせるだけです。こうして出来上がった単品料理がレポートであり、単品を組み合わせたフルコースが論文なのです。

誰もがおいしいと感じる料理は、適切な材料選びと理にかなった調理法によってつくられます。例外はありません。だから、材料が適切で調理法が理にかなったものであれば、世界のどこにいても人々に「おいしい」と思わせることができます。文章の論理性も、適切な材料選びと理にかなった調理法によって生まれます。これらの要素によって生み出される「おいしい」が世界共通であるように、論理もまた世界共通です。とするならば、大学で書く意義は、世界共通のコミュニケーションツールを手に入れ、グローバル化する社会を生き抜く力をつけることにある、と言えるのではないでしょうか。本書がそのきっかけの１冊になれば、著者としてこれほど幸せなことはありません。

何やら話が大きくなりましたが、考える作業は思いのほか楽しいものです。指導中の学生の顔は生き生きとしています。単位のあるなしにかかわらず、です。学生たちは、文章を組み立てながら不足する材料を補おうとどんどん調べ、仲間同士で討議します。「勉強会」と称して、指導時間外に集まることもあります。「考えるってこういうことを言うんですね」と口にする学生もいます。このような雰囲気ができあがると、途中でフェイドアウトする学生もいません。こうして、年間延べ3000人を超える学生が「料理教室」を経験することになるのです。

もちろん、学生にはやみくもに「考えなさい」と言っているわけではありません。ASSCで育てた学生指導員が寄り添いながらグループをリードします。本書にまとめた内容、特に材料の“調理法”に触れた第3～5章を執筆するにあたっては、学生指導員が学生たちに寄り添う姿を思い浮かべました。その意味では、本書を完成させることができたのは学生指導員の存在に負うところが大きいと言えます。

2022年8月

渡邊淳子

〈著者紹介〉

渡 邊 淳 子（わたなべ・じゅんこ）

熊本保健科学大学教授。公共政策学博士。熊本保健科学大学でアカデミックスキル支援センターを立ち上げ、ライティングやプレゼンテーションの指導にあたる。「共に学ぶ経験者」として学生指導員（チューター）を養成し、授業や指導の現場に投入。対話と学生同士の「学び合い」を重視し、徹底した文献購読やグループディスカッションを取り入れた指導を行っている。

〈改訂版〉

大学生のための　論文・レポートの論理的な書き方

2022年10月31日　初版発行　　2024年12月6日　4刷発行

著　者　渡 邊 淳 子

発行者　吉 田 尚 志

印刷所　TOPPANクロレ株式会社

KENKYUSHA

〈検印省略〉

発行所　株式会社　研 究 社

https://www.kenkyusha.co.jp/

〒102-8152

東京都千代田区富士見2-11-3

電話（編集）03（3288）7711（代）

（営業）03（3288）7777（代）

振　替　00150-9-26710

装丁 ● 久保和正

本文レイアウト ● 渾天堂

編集協力 ● 望月羔子

ISBN 978-4-327-38488-3 C1081　Printed in Japan